Goosebumps®

Goosebumps®

Goosebumps®

雞皮疙瘩 1

我的新家是鬼屋

Welcome to Dead House

R.L. 史坦恩（R.L.STINE）◎著

孫梅君◎譯

致台灣讀者

讀者們，請小心……

我是R・L・史坦恩，歡迎到「雞皮疙瘩」的可怕世界裡來。

你是否曾在深夜裡聽到過奇怪的嚎叫？你是否曾在黑暗中聽到腳步聲——卻根本看不到人？你是否見過神祕可怖的陰影，幽幽暗處有眼睛在窺視著你，或者身後有聲音叫你的名字？

如果是這樣，你應該了解那種奇特的發麻的感覺——那種給你一身雞皮疙瘩、被嚇呆的感覺。

在這些書裡，幽靈在閣樓上竊竊低語；膽顫心驚的孩子忽而隱形；稻草人活了，在田野裡走來走去；木偶和布娃娃也有生命，到處嚇人。

當然，這些都是磨礪心志的好玩的嚇人事。我希望你們感到害怕，同時也希望你們大笑。這都是想像出來的故事。當然，最可怕的地方在你們自己心裡。

過個害怕的一天吧！

RL Stine

出版緣起

人生從奇幻冒險開始

何飛鵬
城邦媒體集團首席執行長

我的八到十二歲是在《三劍客》、《基度山恩仇記》、《乞丐王子》中度過的。可是現在的小孩有更新奇的玩具、電玩、漫畫，以及迪士尼樂園等。

八到十二歲，正是孩子從字數極少、以圖畫爲主的繪本閱讀，跨越到漸漸以文字閱讀爲主的時期。也正是訓練孩子從圖像式思考，轉變成文字思考的重要階段。在這個階段，養成長期的文字閱讀習慣，能培養孩子敘事、分析、推理的邏輯思辨能力，奠定良好的寫作實力與數理學力基礎。

然而，現在的父母擔心，大環境造成了習於圖像、不擅思考、討厭文字的一代。什麼力量能讓孩子重回閱讀的懷抱呢？

全球銷售三億五千萬冊的「雞皮疙瘩系列」，正是爲了滿足此一年齡層的孩子的需求而誕生的！

無論是校園怪奇傳說、墓地探險、鬼屋驚魂，或是與木乃伊、外星人、幽靈、吸血鬼、殭屍、怪物、精靈、傀儡相遇過招，這些孩子們的腦袋裡經常出現的角色或想像，經由作者的生花妙筆，營造出一個個讓孩子們縱橫馳騁的魔幻時空、光怪陸離的神奇異界，經歷各種危急險難，最終卻又能安全地化險為夷。這樣的冒險犯難，無論男孩女孩，無不拍案稱奇、心怡神醉！

本系列作品被譯為三十二種語言版本，並在全球數十個國家出版，創下了出版史上多項的輝煌紀錄，廣受世界各地孩子的喜愛。作者史坦恩表示，這套作品之所以成功，是因為多年的兒童雜誌編輯工作，讓他對兒童心理和兒童閱讀需求有了深刻理解——他知道什麼能逗兒童發笑，什麼能使他們戰慄。

我們誠摯地希望臺灣的孩子也能和世界上其他的孩子一樣，有更豐富多元的閱讀選擇。更希望藉由這套融合驚險恐怖與滑稽幽默於一爐，情節緊湊又緊張的「雞皮疙瘩系列」，重拾八到十二歲孩子的閱讀興趣，從而建立他們的閱讀習慣，擁有一個快樂學習的童年。

現在，我們一起繫好安全帶，放膽體驗前所未有的驚異奇航吧！

專文推薦

戰慄娛人的鬼故事

廖卓成
國立臺北教育大學語文與創作系兒童文學教授

這套書很適合愛看鬼故事的讀者。

文學的趣味不止一端，莞爾會心是趣味，熱鬧誇張是趣味，刺激驚悚也是趣味。有人擔心鬼故事助長迷信，其實古典小說中，也有志怪小說一類，《聊齋誌異》就有不少鬼故事。何況，這套書的作者開宗明義的說：「這都是想像出來的故事」，不必當眞。

既然恐怖電影可以看，看鬼故事似乎也無妨；考試的書讀久了，偶爾調劑一下，對頭腦卻是有益。當然，如果看鬼片會連續失眠，妨害日常生活，那就不宜勉強了。

雋永的文學作品，應該有深刻的內涵；但不少兒童文學作品說教有餘，趣味不足。只要有趣味，而且不是害人爲樂的惡趣，就是好的作品。鮑姆（Baum）在《綠野仙蹤》的序言裡，挑明了他寫書就是爲了娛樂讀者。

倒是內行的讀者，不妨考校一下自己的功力，留意這套書的敘事技巧，由主角「我」來講故事，有甚麼效果？書中衝突的設計與化解，是否意想不到又合情合理？能不能有不同的設計？會不會更好？這是另一種引人入勝之處。

導讀

結局只是另一場驚嚇的開始

耿一偉
臺北藝術節藝術總監
臺北藝術大學戲劇系兼任助理教授

不知道大家還記不記得，小時候玩遊戲，比如捉迷藏等，都會有一個人要當鬼。鬼在這個遊戲中很重要，沒有鬼來捉人，遊戲就不好玩。這些遊戲的關鍵特色，不是人要去消滅鬼，而是要去享受人被鬼追的刺激樂趣。所以當鬼捉到人後，不是遊戲就結束，而是下一個人要去當鬼。於是，當鬼反而是件苦差事，因爲捉人沒有樂趣，恨不得趕快找人來替代。所以遊戲不能沒有鬼，不然這個遊戲就不好玩了。

在史坦恩的「雞皮疙瘩系列」中，這些鬼所扮演的角色也是類似遊戲中的鬼，給我帶來閱讀與想像的刺激。各位讀者如果留意一下，會發現在他的小說中，都有一個類似的現象，就是結局往往不是一個對抗式的終局，一種善惡誓不兩立，以消滅魔鬼爲最終目標的故事——這比較是屬於成人恐怖片的模式，不是你死，就是人類全部變殭屍。但「雞皮疙瘩系列」中，你的雞皮疙瘩起來了，可是結尾的時候，鬼並不是死了，而是類似遊戲一樣，這些鬼換了另一種角色，而且有下一場遊戲又要繼續開始的感覺。

礙於閱讀的樂趣，我無法在此對故事結局說太多，但各位看完小說時，可以再回想我在這裡說的，就知道，「雞皮疙瘩系列」跟遊戲之間，的確有類似性。換另一個角度來看，這些主角大多爲青少年，他們在生活中碰到的問題，如搬家面對新環境、男生女生的尷尬期、霸凌、友誼等，都在故事過程一一碰觸。

「雞皮疙瘩系列」令人愛不釋手的原因，也在於表面上好像主角是鬼，但讀到一半，你會感覺到，故事的重點不知不覺地從這些鬼怪轉移到那些被追的青少年身上，鬼可不可怕不是重點，重點是被追的過程中，一些青少年生活中的苦悶，也被突顯放大，甚至在故事中被解決了。所以你會在某種程度感受到，這本書的內容是在講你，在講你的生活，在講你的世界，鬼的出現，只是把這些青春期的事件給激化了。

另一個有趣的現象，是從日常生活轉入魔幻世界的關鍵點，往往發生在父母不在身邊，然後主角闖入不熟識空間的時候——比如《魔血》是主角暫住到姑婆家、《吸血鬼的鬼氣》是闖入地下室的祕道、《我的新家是鬼屋》是新家的詭異房間……等等。

因爲誤闖這些空間，奇怪的靈異事件開始打斷平凡無趣的日常軌道，一段冒險展開了，一場你追我跑的遊戲開始進行，而父母們往往對此毫無所悉，不知道自己的兒女在故事結束時，已經有所變化，變得更負責任，更勇敢。

「雞皮疙瘩系列」的意義，也在這個地方。在平凡無奇充滿壓力的青春期校園生活中，有那麼多不快樂、有那麼多鬼怪現象在生活中困擾著我們，但這無法跟家長說，因爲他們不能理解，他們看不到我們看到的。但透過閱讀，透過想像力所引發的鬼捉人遊戲，這些不滿被發洩，這些被學校所壓抑的精力被釋放了。

幸好有這些鬼怪的陪伴，日子不再那麼無聊，世界可以靠自己的力量改變。

終究，在青少年的世界裡，鬼怪並不是那麼可怕，在史坦恩的小說中，也往往會有主角最後拯救了這些鬼怪的情形，彷彿他們不是惡鬼，而比較像誤闖人類世界的外星人……這也是青少年的焦慮，他們正準備降臨成人世界，這件事讓他們起了雞皮疙瘩！！

這句英文怎麼說

它簡直像幢大廈。
It's looked like a mansion.

1.

喬許和我都討厭我們的新家。

沒錯，它很大。跟我們的舊家比起來，它簡直像幢大廈！

那是一棟高大的紅磚屋子，有著傾斜的黑色屋頂，還有好幾排框著黑色百葉遮板的窗戶。

我從街邊打量著這棟房子，心想，好暗呀！

整棟房子籠罩在黑暗中，幾棵盤根錯節的老樹從上方彎下身來，屋子就像是躲在老樹的陰影中似的。

那時是七月中旬，但是前院已經被褐色的枯葉給鋪滿了。當我們踏上碎石子車道時，枯葉被我們腳下的球鞋踩得沙沙作響。

枯葉的縫隙間，到處有高高的雜草冒出頭來。前廊旁邊一座老舊的花圃上，長滿了一叢叢茂密的雜草。

這屋子真教人發毛，我悶悶不樂的想著。

喬許一定也有同感。抬頭瞧著這棟老舊的屋子，我們倆不約而同的呻吟出聲。

道斯先生在靠近門前走道的地方停下腳步，轉過身來。他是一位友善的年輕人，是當地房地產公司派來的。

「你們都還好吧？」他問道，用他眼角堆滿細紋的藍眼睛看看喬許，再看看我。

「喬許和亞曼達不喜歡搬家。」爸爸一邊解釋，一邊把襯衫的下襬塞進褲頭裡。爸爸有點兒超重，他的襯衫下襬老是會跑出來。

「小孩子不太能馬上接受，」媽媽緊接著說，她朝道斯先生笑了笑，一路走向前門，並把雙手插進牛仔褲的口袋裡：「你知道的，要離開所有的朋友，搬到一個奇怪又陌生的地方，得花點時間來適應。」

這句英文怎麼說

你們都還好吧？
Everything okay?

「就是很奇怪的地方嘛，」喬許邊說邊搖頭：「我不喜歡這房子！」

道斯先生咯咯笑了起來，「沒錯，這的確是棟老房子。」他說著拍拍喬許的肩膀。

「它只是需要整理一下，喬許。」爸爸說，朝道斯先生笑了笑：「這裡已經好一陣子沒人住了，所以需要整修一下。」

「瞧這屋子多大呀，」媽媽邊說，邊把她黑色的直髮向後順了順，接著對喬許笑道：「我們會有地方做書房，也許還可以弄間娛樂室。你們會喜歡的——是不是，亞曼達？」

我聳聳肩。一陣冷風吹得我直發抖，那其實是個晴朗炎熱的夏日，但是越接近屋子，我就越覺得冷。

我猜是因爲那些高大的老樹。

我穿著白色的網球短褲和藍色的背心。在車子裡頭很熱，但是現在我卻覺得好冷。

也許進了屋子會暖和一點，我心想。

道斯先生踏上前廊，問媽媽說：「他們多大了？」

「亞曼達十二歲了，」媽媽回答：「喬許到上個月剛滿十一歲了。」

「他們長得好像。」道斯先生對媽媽說。

我無法判斷這是否算是讚美。但我想這是事實，喬許和我都又高又瘦，有著跟爸爸一樣的棕色卷髮，還有深褐色的眼睛。

每個人都說我們有張「嚴肅」的臉。

「我眞的很想回家。」喬許說，聲音又粗又啞：「我討厭這個鬼地方！」

我弟弟是全世界最沒耐性的小孩，一旦他想怎麼做，誰也拿他沒轍。他有點被慣壞了，至少我是這麼認爲。當他爲了某件事情大吵大鬧時，通常都能夠如願。

我們也許長得很像，但是個性卻不大相同。我比喬許有耐性，也懂事得多。或許這是因爲我的年紀比較大，也或許因爲我是個女孩。

喬許抓住爸爸的手，想要把他拉回車裡，「我們走，爸爸。我們走！」

我知道喬許這回沒辦法得遂心願了。我們將要搬到這間屋子，毫無疑問。畢竟，這棟房子是完全免費的。爸爸的一位遠親，一個我們根本不認識的人，死後

這句英文怎麼說

我真的很想回家。
I really want to go home.

在遺囑中把它留給了爸爸。

我永遠不會忘記，當爸爸接到律師來信時臉上的表情。他高喊一聲，突然在客廳裡手舞足蹈起來。喬許和我還以爲他要翻筋斗呢。

「我的叔公查爾斯在遺囑裡留了一棟房子給我，」爸爸解釋，他一遍又一遍的讀著那封信：「是在一個叫做達克弗斯（Dark Falls）的城鎮裡。」

「什麼？」喬許和我喊道：「達克弗斯是什麼地方？」

爸爸聳聳肩。

「我不記得你有一個查爾斯叔叔。」媽媽說著走到爸爸身後，越過他的肩膀上方讀著信。

「我也不記得……」爸爸承認：「但他一定是個很棒的人！噢，這聽來似乎是一棟很棒的房子！」他抓起媽媽的手，開始跟她在客廳裡開心的跳著舞。

爸爸當然很興奮。他一直在找一個藉口，好辭去他那無聊的辦公室工作，把全部的時間投注在寫作事業上。這棟房子——完全免費的——正給了他所需要的理由。

而現在，一個星期之後，我們來到了達克弗斯——距離舊家四小時的車程，頭一次見到我們的新房子。我們都還沒走進屋子呢，喬許就想把爸爸拉回車子裡。

「喬許——別再拉了！」爸爸不耐煩的叱喝著，想要把手從喬許的手中掙脫出來。

爸爸一副莫可奈何的樣子瞧了道斯先生一眼，我看得出爸爸對喬許的行爲感到尷尬，我想我得出面解圍。

「放手，喬許！」我抓著喬許的肩膀，輕聲的說：「我們答應過要給達克弗斯一個機會——記得嗎？」

「我已經給過它機會了，」喬許哀號著，不肯放開爸爸的手：「這棟房子又醜又舊，我討厭它！」

「你連門都還沒進呢！」爸爸生氣的說。

「是呀，我們進去吧！」道斯先生催促著，眼睛凝視著喬許。

「我要待在外面！」喬許堅持。

這句英文怎麼說

我們進去吧！
Let's go inside.

有時候，他眞是頑固得可以。看著這棟陰森的老房子，我跟喬許一樣不開心，但我絕對不會像他那樣無理取鬧。

「喬許，你不想挑選自己的房間嗎？」媽媽問。

「不要！」喬許低聲咕噥。

他和我同時抬頭望向二樓，那兒有兩扇並排的大凸窗，看起來就像是兩隻幽暗的眼睛在回瞪著我們。

「你們在現在的房子住了多久？」道斯先生問爸爸。

爸爸想了想，「差不多有十四年了。」他回答：「孩子們打從出生起就住在那兒了。」

「搬家總是很辛苦的，」道斯先生同情的說，並把目光轉向我：「妳知道，亞曼達，我在幾個月前才搬到達克弗斯來，一開始我也不太喜歡這兒，但是現在我可不願住到其他任何地方了。」他對我眨眨眼。當他微笑的時候，下巴有個俏皮的酒窩。「我們進去吧！這房子眞的很不錯，你們會感到驚喜的。」

我們跟在道斯先生後面，只有喬許一點也不領情。「這條街上還有其他的孩子嗎？」喬許問道。他的口氣比較像是在挑釁，而不是在發問。

道斯先生點點頭：「學校就在兩條街外。」他說著往街道的方向指去。

「瞧，」媽媽很快的插話說：「只要走一小段路就到學校了，再也不需要每天早上搭老遠的巴士了。」

「我喜歡搭巴士。」喬許還是不鬆口。

他鐵了心。他不想讓我父母好過，即使我們曾答應過要敞開心胸面對這次的搬遷。

我不知道喬許以爲他這麼難纏能得到什麼好處。我的意思是，爸爸已經有夠多事情要煩惱了。

就拿一件事來說吧，我們的舊房子都還沒賣掉呢。

我也不喜歡搬家，但是我知道繼承到這棟大房子，對我們來說是一個難得的機會。我們的小房子太擠了，而只要爸爸賣掉原來的房子，我們就再也不用爲錢煩惱了。

喬許至少應該試試看。我是這麼想的。

這句英文怎麼說

但是這次例外。
But not this time.

突然間，停在車道那頭的車子裡，傳來了派帝的狂吠聲。

派帝是我們家養的狗，是一頭白色的卷毛梗犬，像顆鈕扣般小巧可愛，而且通常很乖。

牠從來不介意我們把牠留在車子裡，但是現在牠卻扯著喉嚨高聲嚎叫，用爪子猛抓車窗，急著想從車裡出來。

「派帝——安靜！安靜！」我喊道。派帝通常會聽我的話。

但是這次例外。

「我去把牠放出來！」喬許大聲說，便沿著車道跑向車子。

「不行，等等——」爸爸喊道。

但是派帝叫得這麼大聲，喬許根本聽不見爸爸的話。

「讓狗兒探探路也好，」道斯先生說：「這也將會是牠的家。」

幾秒鐘後，派帝衝過草坪，踢起許多褐色的枯葉，一邊跑向我們一邊興奮的叫著。牠跳到我們每個人身上，像是有好幾個星期沒見到我們似的。接著，出乎我們意料之外地，牠開始朝著道斯先生威脅似的嚎叫狂吠。

「派帝——別叫了！」媽媽吼道。

「牠以前從來不會這樣，」爸爸抱歉的說：「眞的，牠一向都很友善。」

「也許牠在我身上聞到了什麼，或許是另一條狗的氣味。」道斯先生說著把他的條紋領帶鬆開，小心翼翼的看著我們那條狂叫不休的狗。

最後，喬許把派帝攔腰抱起，將牠從道斯先生身邊移開。「別叫了，派帝，」喬許斥喝著，把狗兒抱近他的臉，和牠鼻子對著鼻子：「道斯先生是我們的朋友。」

派帝低聲嗚嗚的叫，舔著喬許的臉。過了一會兒，喬許把牠放回地面。派帝抬頭看看道斯先生，再看看我，然後牠決定要到院子裡到處嗅嗅，讓牠的鼻子領路。

「我們進去吧！」道斯先生催促著，一手理著他短短的金髮。他打開了門鎖，把門推開。

道斯先生爲我們拉著門，我便跟著爸媽走進屋子裡。

「我要跟派帝留在外面。」喬許在走道上堅決的說。

這句英文怎麼說

他有時候真的很頑固。
He can be so stubborn sometimes.

爸爸想要阻止，但又放棄了。「好吧，隨便！」他說著搖搖頭，嘆了一口氣：「我不想跟你爭吵，不進來就不進來。如果你高興你可以住在外面。」他聽起來眞的很光火。

「我要留下來陪派帝！」

喬許又說了一遍，眼睛瞧著派帝一路嗅過乾枯的花圃。

道斯先生跟隨我們走進玄關，輕輕的把門在身後帶上，最後還望了喬許一眼：「他會沒事的。」他輕聲的說，並對媽媽笑了一笑。

「他有時候眞的很頑固，」媽媽抱歉的說，兩眼往客廳裡窺看：「派帝的事眞的很抱歉，我眞不知道那條狗是怎麼回事。」

「沒關係，我們從客廳開始吧！」道斯先生領著路，說道：「我想你們會很驚喜，這間屋子是多麼寬敞。不過，當然，它需要整修一下。」

他帶我們參觀屋子裡的每一個房間。我不禁興奮起來，這棟房子眞的很不錯，裡頭有好多房間和好多櫥櫃。我的房間好大，有自己的浴室，還有一個老式的窗座，可以坐在窗邊觀看下面的街景。

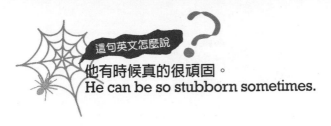

要是喬許也跟我們一起進來就好了。要是他看見屋子裡頭這麼棒，一定就會開心起來了。

眞令人不可置信，這棟房子裡竟然有這麼多房間，甚至還有一層閣樓，裡頭堆滿了舊家具和神祕的舊紙箱，可以讓我們慢慢挖寶。

我們至少在屋子裡待了半小時。我並沒有注意時間，我想我們三個都覺得很開心。

「嗯，我想我已經帶你們看過每個地方了。」道斯先生說，他看了看錶，領著我們走向前門。

「等等——我想再看我房間一眼。」我興奮的對他們說，然後兩級一跳的跑上樓梯：「我馬上就下來！」

「快一點，親愛的，我想道斯先生一定還有別的事。」媽媽在我身後喊道。

我爬上二樓，匆匆穿過狹窄的走廊，走進我的新房間。「喔！」我喊出聲來，聲音在空蕩蕩的牆上反射出微弱的回聲。

這房間眞大！我好喜歡那個有著窗座的凸窗。我走到窗邊向外頭望去，穿過

這句英文怎麼說

我馬上就下來。
I'll be down in a second.

樹叢，我看見我們的車停在車道上，再過去一些，對街是一棟和我們新家很像的房子。

我要把床擺在窗戶對面的牆邊，我開心的想著。書桌可以擺在另一頭，現在有地方可以放我的電腦了！

我再次看了看我的櫥櫃，那是一座大得能讓人走進去的長排櫃，櫃子頂上有一盞燈，櫃子裡隔了幾排寬寬的架子。

我往門口走去，心裡想著我該把哪些海報帶來，這時我看到了那個男孩。

他在門口只站了一秒鐘，然後就轉身消失在走廊裡。

「喬許？」我喊道。「嘿──你過來看！」

我猛然一驚，了解到那並不是喬許。

那男孩留著一頭金髮。

「嘿！」我喊了一聲，朝走廊跑去，在臥室門外停住腳步，向兩邊張望：「是誰？」

但是長長的走廊空蕩蕩的，所有的房門都是關著的。

「喝！亞曼達！」我故意大聲喊叫著自己的名字。

我是見鬼了嗎？

爸媽在樓下叫我。

我朝黑漆漆的走廊望了最後一眼，然後跑去和他們會合。

「嘿，道斯先生，」我邊跑下樓邊問：「這棟房子鬧過鬼嗎？」

他咯咯的笑了起來，好像覺得這個問題很滑稽，「沒有。很抱歉。」他說著用那眼角堆滿皺紋的藍眼睛瞧著我：「沒有附送鬼魂！這附近有許多老房子據說都曾鬧鬼，但恐怕這裡並不是其中之一。」

「我……我以爲我看見了什麼東西。」我說，覺得自己有點蠢。

「也許只是影子，」媽媽說：「這間屋子好暗，有這麼多樹。」

「妳何不到外頭去，告訴喬許這間房子的事。」爸爸建議，一邊把他的襯衫前襬塞進褲頭：「妳媽跟我有些事情要跟道斯先生談。」

「是的，老爸！」我微微一鞠躬，聽話的跑了出去，要告訴喬許他所錯過的一切。

這句英文怎麼說

我是見鬼了嗎？
Was I seeing things?

「嘿，喬許！」

我喊道，並熱切的在院子裡尋找：「喬許？」

我的心沉了下去。

喬許和派帝不見了！

2.

「喬許！喬許！」

我先喊喬許，接著又喊派帝。但是完全不見他們兩個的蹤影。

我跑到車道那頭，往車子裡瞧，他們並不在裡面。爸媽還在屋子裡跟道斯先生談話，我往街道兩頭望去，還是不見人影。

「喬許！喬許！」

終於，爸媽匆匆忙忙的從前門跑了出來，神色緊張，我猜他們聽見我的叫聲了。

「我找不到喬許和派帝！」我從馬路邊上向他們喊道。

「也許他們在後院裡！」爸爸朝我喊回來。

我沿著車道跑去，邊跑邊踢起許多枯葉。街上陽光普照，但是當我一進到院

這句英文怎麼說

他不在這兒。
No sign of him.

子裡，就又回到了樹蔭之中，馬上又覺得冷了起來。

「喬許！喬許——你在哪兒？」

我爲什麼會感到這麼害怕？喬許到處亂跑是很正常的，他老是這樣。

我用最快的速度沿著屋子的側邊跑去。高高的樹木往屋子的這一邊傾斜，幾乎把所有的陽光都遮住了。

後院比我想像得大，是個長方形的院子，地面逐漸往後邊的木製籬笆向下傾斜。就像前院一樣，這裡雜草叢生，從厚厚的一層棕色枯葉中探出頭來。一個石製的鳥臺歪在一旁，再過去一些，看得見車庫的邊緣，是和主屋一樣的深色磚造建築。

「喂——喬許！」

他不在後院。我停下腳步，在地上尋找足跡，或者他任何一點曾經跑過那層厚厚枯葉的蛛絲馬跡。

「怎麼樣？」爸爸向我跑來，上氣不接下氣的說。

「他不在這兒。」我說，驚訝於自己居然如此擔心。

「妳檢查過車裡了嗎？」他的口氣聽來是生氣大過擔憂。

「看過了。那是我頭一個查看的地方。」我飛快的朝後院瞥了一眼：「我不相信喬許會就這麼跑走了。」

「我相信。」爸爸說，轉動著眼珠子：「妳知道妳弟弟不順心的時候會怎麼樣，也許他想要我們以為他離家出走了。」他皺皺眉。

「他在哪兒？」當我們回到屋子前頭時，媽媽問道。

爸爸和我都聳聳肩。爸爸說：「也許他交了新朋友，然後跑開了。」他舉起一隻手，搔了搔他卷曲的棕髮。我看得出來他也開始擔心了。

「我們得找到他！」媽媽說著往街上凝視：「他完全不熟悉這附近的環境，他可能跑得太遠迷路了。」

道斯先生鎖上前門，步下門廊，把鑰匙放進口袋裡。「他不會走遠的。」他說，給媽媽一個打氣的微笑：「我們開車在附近轉轉，一定會找到他的。」

媽媽搖搖頭，焦急的看了爸爸一眼：「我要宰了他。」她低聲咕噥著。爸爸拍了拍她的肩膀。

這句英文怎麼說

我們得找到他。
We've got to find him.

道斯先生打開那輛小本田車的行李箱，把他的深色運動上衣脫掉，扔進行李箱裡。接著他拿出一頂黑色的寬邊牛仔帽，戴到頭上。

「嘿——好一頂帽子！」爸爸說著爬進前面的乘客座。

「遮陽用的。」道斯先生說著坐到方向盤後面，把門關上。

媽媽和我坐進後座。我瞧瞧她，發現她跟我一樣擔心。

我們靜靜的沿著街道開去，四個人都朝著車窗外頭注視。我們經過的房屋似乎都很老舊，其中大多數的房子遠比我們的還要大。所有的房子狀況都比我們的好，不但漆上鮮亮的油漆，草坪也都修剪得很整齊。

然而這些房子和庭院中不見任何人影，街上也沒有半個人。

這附近的確是很安靜，我心想。而且陰涼。這些房子似乎全被枝葉茂密的高大樹木所包圍。我們車子緩緩駛過的前院，幾乎都籠罩在樹蔭中了。街道是唯一有陽光的地方，就像一條窄窄的金色絲帶穿過兩旁的陰影。

也許這就是爲什麼這兒叫做達克弗斯——黑暗瀑布——的原因，我心想。

「我那兒子到底在哪兒？」爸爸問，兩眼直直盯著擋風玻璃外頭。

「我會宰了他！我眞的會。」媽媽喃喃的說。這已經不是她第一次這麼說喬許了。

我們在這條街上繞了兩圈，還是沒有喬許的影子。

道斯先生提議我們再開到下面幾條街轉轉，爸爸立刻同意。

「希望我自己不會迷路，我來這兒也沒有多久。」道斯先生說著轉過一個街角：「嘿，那兒就是學校。」他說，一邊指著窗外一棟高高的紅磚建築。它看起來十分老式，兩扇前門旁邊豎著白色的柱子。「當然，它現在是關著的。」道斯先生補充道。

我在學校後面的操場搜尋著。那兒也空無一人。

「喬許有可能走這麼遠嗎？」媽媽問。她的聲音很緊繃，比平常高了一些。

「喬許從來不走路，」爸爸說，轉動著眼珠：「他都是用跑的。」

「我們會找到他的。」道斯先生信心滿滿的說，開車時一邊用手指叩著方向盤。

我們轉過街角，來到另一條陰暗的街道。

這句英文怎麼說

我來這兒也沒有多久。
I'm new here, too.

這條街的路標上寫著「墓園街」。一點都沒錯，一座很大的墳場出現在我們眼前。花崗岩製的墓碑沿著一座低矮的山丘排開，山丘往下傾斜然後又再高起，延伸到一大片平坦的地面，那兒同樣也有許多排低矮的墓碑和紀念碑。

墓園裡點綴著幾叢灌木，並沒有很多大樹。當我們的車子緩緩駛過，一塊塊墓碑從我們左手邊掠過，變成模糊的一片，我才發現這裡是整個鎮上陽光最充足的地方。

「令郎在那兒！」道斯先生突然停下車子，指著窗外。

「噢，謝天謝地！」媽媽喊道，並靠到我這邊的車窗往外望去。

沒錯，那是喬許，他正沿著一排低矮的白色墓碑發狂似的跑來跑去。「他在這兒幹什麼？」我問，一邊把車門推開。

我下了車，往草地上走了幾步，朝他喊去。一開始他對我的叫喊並沒有反應。他似乎是在墓碑之間伏低閃躲，一下子往這個方向跑，然後又切到邊上，接著又跑向另一個方向。

他爲什麼要這樣？

我又走了幾步……然後停下來，因爲恐懼而握緊了拳頭。

我突然明白喬許爲什麼要這樣一下竄高、一下伏低，在墓碑之間如此狂奔。

他在被追趕著。

某個人……或是某樣東西……正在追趕他。

3.

這句英文怎麼說

他在追派帝。
He was chasing after Petey.

當我遲疑的向喬許走近幾步，看著他彎腰伏低、變換方向，手臂直伸出去往前奔跑，我了解到我完全弄反了。

喬許不是被追，是他在追人。

他在追派帝。

好吧，好吧！有時我的想像力的確太氾濫了。

不過，像這樣在一座老舊的墳場中奔跑——即使是在光天化日之下——確實很難不讓人產生奇怪的念頭。

我又喊了喬許，這次他聽見了轉過身來。他看起來很擔心。「亞曼達——快來幫我！」他喊道。

「喬許，這到底是怎麼回事？」我卯足全力快跑追上他，但是他還是不斷在墓碑之間飛奔，從這一排跑到那一排。

「快來幫忙呀！」

「喬許——這是怎麼回事？」我轉過身來，看見爸媽正站在我身後問道。

「是派帝！」喬許上氣不接下氣的解釋：「我沒法讓牠停下來！我抓住過牠一次，但是又被牠掙脫了。」

「派帝！派帝！」爸爸開始叫喚狗兒，但是派帝仍不斷的從一座墳墓跑到另一座，嗅著每一塊墓碑，接著往下一個跑去。

「你們怎麼會跑到這麼老遠來？」爸爸趕上弟弟，問道。

「我得跟著派帝，」喬許解釋，看來仍舊很擔心：「牠就這樣跑了。前一秒鐘牠還在我們前院的廢棄花圃中到處嗅著，下一秒鐘牠就跑了。我叫牠牠也不停，連頭也不回。牠一直跑、一直跑，一直跑到這兒。我只得跟著牠，我怕牠會跑丟了。」

喬許停下腳步，很感謝爸爸來接替他去追派帝。「我不知道這條笨狗到底是

這句英文怎麼說

這到底是怎麼回事？
What's the matter?

怎麼了！」他對我說：「牠眞的很古怪。」

爸爸試了幾次，終於成功的捉住派帝，將牠從地上抱起。我們的小犬不太熱烈的叫了一聲以示抗議，便任由爸爸把牠捉走。

我們一起走回停在路邊的車子，道斯先生在車旁等候。「也許你們最好替這隻狗上條狗鍊。」他說，神色看來十分關切。

「派帝從來沒有上過狗鍊！」喬許抗議，一邊疲憊的爬進後座。

「嗯，我們也許必須試上一陣子，」爸爸靜靜的說：「尤其牠要是一直跑走的話。」爸爸把派帝扔進後座，狗兒熱切的蜷縮進喬許的臂彎裡。

我們其餘幾個人擠進車裡，道斯先生載我們回到他的辦公室。那是一間小小的白色平頂建築，位於一排小辦公室的尾端。當車子行駛時，我伸手過去撫摸派帝的後腦勺。

這狗兒爲什麼會這樣突然跑走？我納悶著。

派帝以前從來不曾這樣。

我猜派帝也對搬家感到沮喪不安。畢竟，派帝從一出生就待在我們的老家了，現在必須收拾東西搬走，以後再也見不到老家，牠的感受也許跟我和喬許差不多。

這新的房子、新的街道，還有所有新的氣味，一定讓這可憐的狗兒很難適應，因而產生了反常的行爲。

喬許想要逃離搬家這件事，派帝也是。

無論如何，這是我的理論。

道斯先生在他的小辦公室前停下車來，跟爸爸握手後，遞給爸爸一張名片。

「你們可以下個星期再來，」他對爸媽說：「在那之前我會將所有的手續辦好，你們簽好文件之後，就可以隨時搬進來了。」

他打開車門，對我們每個人笑了笑，準備要下車。

「康普頓．道斯。」媽媽從爸爸背後讀著那張白色的名片：「這個名字倒很少見，康普頓是繼承家中長輩的名字嗎？」

道斯先生搖搖頭，「不是。」他說：「我是家族中唯一的康普頓。我不知道這個名字是從哪兒來的，完全不清楚。也許是因爲我父母不會拼『查理』吧！」

這句英文怎麼說

爸爸打開了冷氣。
Dad had turned on the air conditioner.

他因爲自己這個糟糕的笑話咯咯的笑著，爬出車子後，他壓低頭上的黑色寬邊帽，從行李箱中拉出他的運動上衣，然後消失在那棟小小的白色建築裡。

爸爸爬進駕駛座，把座位往後移回去，好給他的大肚皮挪出位置。等媽媽移到前座後，我們便展開回家的漫長車程。

「我猜你和派帝今天可好好的探險一番了！」媽媽對喬許說，一邊把車窗搖上，因爲爸爸打開了冷氣。

「我想是吧。」喬許沒精打采的說。派帝在他腿上熟睡著，輕輕的打著鼾。

「你會喜歡你的新房間的。」我對喬許說：「那棟房子很棒，眞的。」喬許若有所思的盯著我瞧，並沒有回答。

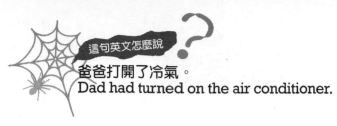

我用手肘頂頂他的腰際：「說話呀！你聽見我說的話了嗎？」

但是那種若有所思的詭異表情，並沒有從喬許臉上消失。

接下來的幾個星期，時間似乎像蝸牛爬行一樣的緩慢。我在家裡走來走去，心裡想著我以後再也看不到我的房間了，我再也不會在這間廚房裡吃飯了，我再也不會在這間客廳裡看電視了……這一類病態的事情。

某天下午，當搬家工人送來高高的一疊紙箱時，我也有這種病態的感覺。是收拾東西的時候了，這眞的發生了。雖然當時是下午，我跑進房間，碰的一聲倒在床上。我沒有睡覺，也沒有做什麼，只是瞪著天花板，瞪了一個多小時。所有那些亂七八糟、毫不連貫的思緒紛紛掠過我的腦海，就像是一場夢，只不過我是醒著的。

我並不是唯一對搬家感到神經緊張的人。

爸爸媽媽也會爲了雞毛蒜皮的小事對彼此發火。有天早上，他們還因爲培根是不是煎得太乾而大吵一架。

從某方面來說，看到他們這麼幼稚實在有點好笑。喬許這整段時間都非常鬱悶，很少跟任何人說上半句話。派帝也是悶悶不樂的，連我替牠留了剩飯剩菜，這隻笨狗都不肯過來吃。

我想搬家最困難的部分，就是跟朋友說再見了。卡蘿和艾美到夏令營去了，所以我必須寫信給她們。但是凱西在家，而她是我最老也最要好的朋友，也是最

這句英文怎麼說

這真的發生了。
It was really happening.

難說再見的一個。

我想有些人會覺得訝異，爲什麼凱西和我一直是這樣好的朋友。就拿一件事來說，我們的外表十分不同，我又高又瘦又黑，而她則皮膚很白，留著金色的長髮，還有點兒圓嘟嘟的。但是我們打從幼稚園起就是朋友了，從四年級起更成了最最要好的朋友。

搬家前一晚她來我家，我們不知道該怎麼道別才好。「凱西，妳不該緊張才對。」我對她說：「妳又不是那個要永遠搬走的人。」

「妳又不是要搬到中國或是更遠的地方，」她回答，一邊用力嚼著口香糖：「達克弗斯開車只要四個小時，亞曼達，我們還是會常常見面的。」

「是呀，我想是吧！」我說。但我並不眞的相信，四小時就跟搬到中國一樣糟，至少對我來說是如此。「我想我們還是可以通電話。」我悶悶不樂的說。

她吹了一個小小的綠色泡泡，然後又吸回嘴裡。「是呀，當然。」她說，假裝興致勃勃的樣子：「妳很幸運，妳知道的，可以離開這個差勁的地方，搬到大房子裡！」

「這裡才不是差勁的地方！」我高聲強調。

我不知道我為什麼要替這兒辯護。我以前從來不曾這樣。我們最愛的消遣之一，就是幻想能在別的地方長大。

「沒有了妳，學校就再也不一樣了！」她嘆道，在椅子裡蜷起腿來：「考數學的時候，誰來傳答案給我呢？」

我笑了。「我傳給妳的答案總是錯的。」

「但是心意最重要。」凱西說，然後咕噥了一聲：「唉，國中。妳的新國中是跟高中在一起，還是跟小學在一起？」

我做出一副嫌惡的表情，「全部都在一起。那是一個小鎮，記得嗎？沒有分開的中學。至少我沒看見！」

「好爛！」她說。

的確很爛。

我們聊了好幾個小時，直到凱西的媽媽打電話來，說她該回家了。

然後我們彼此擁抱。我下定決心不哭的，但是我卻感覺到大顆熱熱的淚珠在

這句英文怎麼說

我們會常常見面的。
We'll see each other a lot.

我的眼角成形，接著便滑下了我的臉頰。

「我好難過！」我哭道。

我原本打算表現得克制而成熟，但是凱西畢竟是我最要好的朋友，我能怎麼辦呢？

我們許下諾言，每年生日都要聚在一起——無論發生什麼事。我們要強迫我們的父母，一定不會讓我們錯過彼此的生日。

接著我們再次擁抱，然後凱西說：「別擔心，我們會常常見面的，真的。」她的眼眶中也含著淚水。

她轉身跑出大門，紗門在她身後碰的一聲重重關上。我站在那兒望著黑暗的夜色，直到派帝蹦蹦跳跳的跑進來，腳爪在地板上刮得喀喀作響，然後開始舔我的手。

第二天——也就是搬家日——是個下雨的星期六。

沒有傾盆大雨，也沒有打雷閃電，但是綿密的風雨已足夠讓這趟漫長的車程變得緩慢而令人不快。

當我們接近新家時，天空似乎變得更陰暗了。沉重的大樹往街道的路面低垂過來。「慢一點，傑克！」媽媽尖聲警告：「路很滑呢！」

但是爸爸急著要趕在搬家卡車之前到達。「如果我們不在那兒監督，他們就會把東西隨便一擺了事。」爸爸解釋。

喬許跟我一起坐在後座，他照例和往常一樣煩人。他不停的抱怨口渴，等發現沒人理他時，又開始哀叫說肚子餓了。不過因爲我們早餐都吃得很多，所以也沒得到任何回應。

不用說，他只是想要贏得注意。

我告訴他那棟房子裡頭是多麼的棒，他的房間又是多麼的大，試著讓他高興起來。他到現在還沒見過房子裡頭呢。

但是他不想要高興起來。他轉而跟派帝扭打起來，把那隻可憐的狗兒搞得興奮不已，一直鬧到爸爸喝令他們停止。

「讓我們一起努力別讓彼此發火。」媽媽提議。

這句英文怎麼說

別拿我開玩笑！
Don't make fun of me.

爸爸笑了起來，「好主意，親愛的。」

「別拿我開玩笑！」媽媽沒好氣的說。

他們開始你一言我一語的爭論，這次搬家打包是誰比較辛苦。派帝突然挺直後腿站起來，對著後車窗狂叫。

「妳不能叫牠閉嘴嗎？」媽媽尖聲說道。

我把派帝拉下去，但是牠又掙扎著站起來，並再次大聲吠叫。「牠從來不會這樣啊。」我說。

「妳叫牠安靜就是了！」媽媽說。

我捉住派帝的後腿，把牠拉下來，但喬許卻緊跟著也大聲吼叫。媽媽轉過身來，給他一個白眼，但是喬許並沒有閉嘴。他大概覺得這麼做很有趣。

終於，爸爸把車開上新家的車道，輪胎在潮濕的石子路面上吱吱作響。大雨嘩啦啦的敲打著屋頂。

「家，甜蜜的家！」媽媽說。我無法判斷她是不是語帶嘲諷，不過我想她真的很高興這漫長的車程終於結束了。

「至少我們趕在搬家工人抵達之前到家了。」爸爸說著看看手錶，然後他的表情一變：「希望他們不要迷路才好！」

「外頭像晚上一樣黑！」喬許抱怨道。

派帝在我腿上跳上跳下，急著要下車。牠通常坐車都很有耐性，但是這回車一停下來，牠就迫不及待的要跳下車。

我打開車門，牠咻的一聲跳到車道上，狂亂的在前院裡來回奔跑。

「至少有人很高興來到這裡。」喬許輕聲的說。

爸爸跑上門廊，笨手笨腳的撥弄著那串不熟悉的鑰匙，終於把門給打開了。然後他打手勢要我們進屋裡去。

媽媽和喬許跑過走道，急著要進屋躲雨。

我關上身後的車門，慢慢跑向他們。

但是某樣東西吸引了我的視線。我停下腳步，抬頭瞧著門廊上方那兩扇並排的凸窗。

我舉起一隻手橫在眉毛上擋著眼睛，穿過雨絲往上看去。

這句英文怎麼說

某樣東西吸引了我的視線。
Something caught my eye.

是的，我看見了。

是一張臉，在左邊那扇窗戶後面。

是那個男孩。

正是同一個男孩站在那兒，他正往下注視著我。

4.

「擦擦你們的腳！別把泥巴帶到乾淨的地板上了！」媽媽喊道，她的聲音在空蕩蕩的客廳裡迴響著。

我踏進玄關，屋子裡滿是油漆的味道。油漆工在星期四才剛剛漆好房子。屋子裡很熱，比外頭熱得多。

「廚房的燈不亮。」爸爸從屋子後邊喊道：「是油漆工把電源關了，還是怎麼著？」

「我怎麼會知道？」媽媽喊回去。

他們的聲音在空曠的大屋子裡聽起來好大聲。

「媽——有人在樓上耶！」我喊道，一邊在寫著「歡迎」的新門墊上擦了擦腳，

這句英文怎麼說

我又怎麼了？
What did I do?

然後便趕忙跑進客廳。

媽媽站在窗口，往窗外的雨中望去，大概是在看搬家工人到了沒有。當我走進去時她回過身來說：「什麼？」

「有個男孩在樓上，我看見他站在窗口！」我說，一邊努力調勻呼吸。

喬許從後面的走廊走進客廳，他剛才也許是跟爸爸在一起。他笑說：「這裡已經有人住了嗎？」

「樓上沒有人。」媽媽說，轉著她的眼珠：「你們兩個今天放過我好嗎？」

「我又怎麼了？」喬許嘀咕。

「聽著，亞曼達，我們今天全都有點兒焦躁……」媽媽開口。

但是我打斷了她，「我看見他的臉了，媽，他就站在窗口！我沒有發瘋，妳知道的！」

「誰說的？」喬許開玩笑說。

「亞曼達！」媽媽咬著下唇，她眞正光火時總會這樣。「妳是看到什麼東西的倒影了，也許是樹影。」她轉身面向窗口，現在雨水一大灘一大灘的落下來，強風把大片的風景窗吹得碰碰作響。

我跑上樓梯，兩手在嘴邊圈成杯狀，對著二樓叫喊：「是誰在上面？」

沒有回答。

「是誰在上面？」我又喊，聲音加大了一點。

媽媽用手摀住耳朵。「亞曼達——拜託！」

喬許穿過飯廳跑走了。他終於開始探索這間屋子。

「有人在上面！」我堅持說。突然一股衝動，我奔上木製的台階，腳下的球鞋在沒鋪地毯的樓梯上碰碰碰的大聲響著。

「亞曼達——」我聽見媽媽在背後叫我。

但是我太生氣了，不肯停下腳步。她爲什麼不相信我？她爲什麼要說我看到的是樹影？

我很好奇。我得弄清楚是誰在樓上，我得證明媽媽是錯的，我得讓她知道那並不是什麼愚蠢的倒影。

我想我也是頑固得可以，也許那是家族的特徵。

這句英文怎麼說

那不是腳步聲。
Not footsteps.

當我往上爬時，樓梯在我腳下吱嘎吱嘎的響著。我完全不覺得害怕，直到我登上了二樓。然後我突然感到胃裡有種沉甸甸的感覺。

我停下腳步，靠在樓梯扶手上用力的呼吸著。

那會是誰？是小偷嗎？還是某個無聊的鄰居小孩，偷偷的闖進空屋想要找點刺激？

我突然想到，也許我不應該一個人上來。

也許窗邊那個男孩是個危險人物。

「有人在樓上嗎？」我喊道。我的聲音變得微弱而發顫。

我仍舊靠在樓梯扶手上，仔細聆聽著。

然後我聽見有腳步聲跑過走廊。

不！

那不是腳步聲。

是雨，那是雨聲。是雨點打在石棉瓦上的聲音。

不知道是什麼原因，這聲音讓我感到鎮靜一些。我放開扶手，走進那又長又窄的走廊。樓上很暗，只有從走廊那頭的一個小窗中，透出來一道長方形的灰色光線。

我走上幾步，老舊的地板在我腳下大聲的響著。

「有人在上面嗎？」

還是沒有回答。

我走到左手邊的第一道門前，門是關著的。剛刷過的油漆氣味讓我窒息。靠近門邊的牆上有一個電燈開關，也許是門廳的燈，我想。我按下開關，但是電燈卻沒有亮。

「有人在這兒嗎？」

當我握住門把時，我的手微微顫抖。我覺得手心很熱，而且濕濕的。

我轉開門把，深吸了一口氣，然後把門推開。

我往房間裡瞧去，灰濛濛的光線透過凸窗照進屋裡，一道閃電嚇得我往後一跳，接下來是幾聲遙遠的悶雷。

我慢慢的、小心翼翼的往屋裡踏進一步，接著又踏了一步。

這句英文怎麼說

有人在裡頭嗎？
Who's in there?

沒有任何人的影子。

這裡是客房，也可能將會是喬許的房間，如果他喜歡的話。

又一道閃電。天色似乎暗了下來。雖然現在才剛過午飯時間，外頭卻已是漆黑一片。

我回到走廊。

下一間是我的房間，裡頭也有一扇面向前院的凸窗。

我看見的那個男孩會是在我的房間裡往下看我嗎？

我悄悄的沿著走廊往前走，不由自主伸出手一路劃過牆壁。我在我房間門口停了下來，那門也是關著的。

我深深吸了一口氣，敲敲房門。

「有人在裡頭嗎？」我喊道。

我側耳靜聽。

一片寂靜。

然後又是一聲雷響，比前一次要近了些。

我像是癱瘓了似的僵在原地，大氣也不敢喘。樓上很熱，又熱又濕，油漆的氣味更是讓我暈眩。

我抓住門把。「有人在裡頭嗎？」

我開始旋轉門把——這時那個男孩從我身後悄悄走近，抓住我的肩膀……

這句英文怎麼說

你真的嚇到我了！
You really scared me.

5.

我無法呼吸，也叫不出聲。

我的心臟似乎停止跳動，胸脯感覺像是要炸開了。

我鼓起最後一股力氣，轉過身去。

「喬許！」我尖叫：「你把我嚇死了！我還以爲——」

他放開我，向後退了一步。「逮到妳了！」他說，然後放聲大笑，高八度的笑聲在空蕩蕩的走廊裡迴響。

我的心臟還在怦怦亂跳，額頭的血管也在顫動。「這一點也不有趣，」我生氣的說，推得他撞在牆上：「你眞的嚇到我了！」

他哈哈大笑，倒在地板上團團轉。他眞的很變態！我又伸出手去推他，但是

被他閃開了。

氣極了的我轉身背向他……剛好來得及看見我房間的門慢慢盪開。

我難以置信的倒抽一口氣。

我呆在那兒，目瞪口呆的看著那扇移動的門。

喬許止住笑聲，站在原地，臉色立刻嚴肅起來。他深色的眼睛因爲恐懼而張得大大的。

我聽見有人在房間裡走動。

我聽見有人在低語。

還有興奮的咯咯笑聲。

「誰……是誰在裡面……？」我結結巴巴的問，聲音又高又尖，幾乎連自己都認不出來了。

那扇門吱吱的響著，又打開了一點，然後又慢慢闔上。

「是誰在裡面？」我又問，比前一次大聲一些。

再一次，我聽見了低語聲，有人在裡頭走動。

這句英文怎麼說

是誰在裡面？
Who's there?

喬許背靠著牆，慢慢的挪動身子，往樓梯的方向移去。他臉上有種我從沒見過的表情——極度的驚恐。

那扇門，就像電影裡頭鬼屋的門一樣嘎嘎作響，又闔上了一點兒。

喬許幾乎已經挪到樓梯口了，他直直盯著我，拚命打手勢叫我跟上去。

但是相反的，我踏步向前，握住門把，用力把門推開。

那門並沒有抵抗。

我放開門把，站在門口擋住出路，問道：「是誰在裡面？」

房間是空的。

一聲雷響。

我花了幾秒鐘才弄清楚門爲什麼會動。對面牆上的窗戶開了個十幾公分寬的縫，一定是那一陣陣從窗縫吹進來的風把門吹得開開闔闔。我猜這也是房間裡其他聲音的來源，那些我以爲是低語的聲音。

是誰讓窗戶開著的？

也許是油漆工吧。

我深深吸了一口氣，然後慢慢吐出來，等待我怦怦亂跳的心臟回復正常。

我覺得自己有點蠢，快步走向窗戶把它關好。

「亞曼達——妳還好吧？」喬許從走廊低聲叫道。

我正想回答他，但我突然有個更好的主意。

幾分鐘之前我差點被他給嚇死，為什麼我不也嚇嚇他呢？他活該。

於是我沒有回答他。

我聽見他怯怯的朝我房間走近了幾步。

「亞曼達？亞曼達？妳還好吧？」

我躡手躡腳的走到衣櫃旁邊，把櫃門開到三分之一的寬度，然後直挺挺的仰躺在地上，頭和肩膀藏在櫃子裡，其他的部位則露在外頭。

「亞曼達？」喬許聽起來非常害怕。

「喔喔喔喔——」我大聲呻吟。

我知道當他看見我這個樣子躺在地上，一定會嚇壞了。

「亞曼達——發生什麼事了？」

這句英文怎麼說

他活該。
He deserved it.

他來到門口了，隨時都會看見我躺在黑暗的房間裡、頭被擋住了，而窗外閃電正懾人心魄的劈下來，雷聲隆隆不絕。

我深深的吸了一口氣，然後憋著讓自己不要笑出來。

「亞曼達？」他低喊。他一定是看見我了，因爲他大叫了一聲，接著我聽見他在喘氣。然後扯開喉嚨高聲尖叫起來。

我聽見他一邊叫一邊沿著走廊跑到樓梯口，大叫：「爸！媽！」接著我聽見他的球鞋重重的跑下木頭樓梯，一路叫個不停。

我暗自竊笑。然後，就在我要爬起來的時候，冷不防的被一隻粗糙而溫暖的舌頭舔了我的臉。

「派帝！」

牠舔著我的臉頰、我的眼瞼，發狂似的舔著我，好像努力要讓我甦醒似的，又或者像是要讓我知道一切都沒事。

「噢，派帝！派帝！」我喊道，笑著伸出雙臂向這隻貼心的狗兒抱去：「快停下來，你弄得我渾身黏答答的！」

但是牠不肯停下來，一直猛力的舔著我。

這可憐的狗兒也很緊張，我心想。

「哎呀，派帝，要乖乖的！」我對牠說，並且把牠喘著氣的狗臉推開：「沒什麼好緊張的。新家會很好玩的，你會發現的！」

這句英文怎麼說

不許再嚇來嚇去。

No more scaring each other.

6.

那天晚上，當我拍鬆枕頭爬進被窩時，嘴角還兀自掛著微笑。我想到喬許下午被嚇得半死的樣子，他臉上那種驚恐的表情，即使在看到我完全沒事、蹦蹦跳跳的跑下樓時，都還不曾消退。

被我這麼捉弄，他眞是氣極了。

當然，爸爸媽媽並不覺得這很有趣，他們因爲搬家卡車遲了一小時到而緊張焦慮。他們強迫喬許和我停戰，不許再嚇來嚇去。

「在這間恐怖的老房子裡，想要不被嚇到都很難！」喬許咕噥道。雖然不太情願，我們還是答應儘量想辦法控制自己，不再彼此捉弄。

搬家工人一邊抱怨著下雨，一邊把我們所有的家具抬進來。喬許和我幫著告

訴他們東西要擺在哪邊，他們把我的衣櫥在樓梯上摔了一下，不過還好只刮傷了一點點。

我們的家具在這間大房子裡顯得好小又好奇怪。爸媽一整天都在忙著擺東西、拆紙箱、把衣服掛好，喬許和我則儘量閃到一旁，以免礙著他們。媽媽甚至還幫我把房間的窗簾掛上了。

眞是忙碌的一天呀！

現在，十點剛過，我試著頭一次在新房間裡睡覺，我側躺著，然後又翻身仰臥。雖然這是我原來的床，我還是沒法讓自己躺得很舒服。

每樣東西看起來都這麼不一樣，這麼不對勁。床的方向跟我原來的臥房不一樣，牆壁又光禿禿的，我還沒來得及把我的海報掛上去。這房間似乎好大、好空曠，連陰影也顯得黑暗得多。

我的背開始發癢，不一會兒我覺得全身都癢了起來。我心想，這床上爬滿了蟲子，於是立刻坐了起來。但是這當然是不可能的。這是我原來的床，上面鋪著乾淨的床單。

這句英文怎麼說

真是忙碌的一天呀！
What a day!

我強迫自己重新躺好，閉上眼睛。有時當我無法入睡，我會默數數字，想像每個數字在我的腦海中通過。這通常可以幫我屏除雜念，讓我能夠慢慢入睡。

我現在又嘗試這麼做，把我的臉埋進枕頭裡，開始想像數字一個接一個通過我的腦海……四、六、八……

我大聲的打了個呵欠，此刻是清晨兩點二十分，我仍然完全清醒。

我會永遠醒著，我心想。

我永遠都沒辦法在這間新房間裡睡著覺了。

但是後來我一定是在不知不覺間睡著了。我不知道我睡了多久，最多一或兩個小時。我睡得很淺、很不舒服。然後有什麼東西把我驚醒了。我直挺挺的坐了起來，驚恐萬分。

雖然房裡很熱，我卻感到全身冰涼。我望向床尾，發現我把被單跟薄毯子給踢掉了。

我嘟囔一聲，伸手去撿被子，卻突然僵在那兒。

我聽見低語聲。

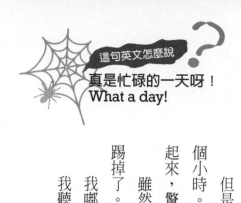

有人在屋子另一頭低聲說話。

「誰……是誰？」我的聲音也像是耳語，很小聲，很害怕。

我抓起被單，一直蓋到下巴上。

我又聽到更多低語聲。這時我的眼睛已經適應了黯淡的光線，把屋子裡看得比較清楚了。

是窗簾。媽媽下午剛剛幫我掛上去、從我原來的房間帶過來的長長薄窗簾，正在窗口飄動著。

是了。這就解釋了爲什麼有那些低語聲。一定是窗簾飄動的聲音把我給驚醒的。

一道淡淡的灰色光線從窗外射進來，窗簾在我的床尾投射出晃動的陰影。

我打著呵欠，伸個懶腰，爬下床來。在我走過木頭地板要去關窗戶時，我忽然感到渾身發冷。

當我接近窗口，窗簾突然停止飄動，落回了原來的位置。我把窗簾撥開，伸出手來想要關上窗戶。

這句英文怎麼說

我又聽到更多低語聲。
I heard more whispers.

「咦！」

當我瞧見窗戶原來是關著的，我不禁輕輕喊了一聲。

如果窗戶是關著的，窗簾怎麼會這樣飄個不停呢？我呆站了一會兒，望向窗外灰濛濛的夜色。我並不覺得有什麼風，窗戶似乎是完全不透風的。是我想像窗簾在飄嗎？還是我的眼睛在跟我開玩笑？

我打著呵欠，快步穿過那片奇怪的陰影跑回床上，把被子拉得高高的。「亞曼達，別再自己嚇自己了！」我叱責自己。

幾分鐘後當我再度入睡時，我做了一個最醜惡、最恐怖的惡夢。

我夢見我們全都死了。爸爸、媽媽、喬許，還有我。

起初，我看見我們坐在新家飯廳的餐桌旁，飯廳非常明亮，亮得我無法看清楚我們的臉，只有白晃晃模糊的一片。

但是，接著……每樣東西都慢慢變得清晰起來，我看見我們的頭髮下面並沒有臉，我們的皮膚不見了，只剩下灰綠色的骷髏頭。小塊、小塊的皮肉還黏在我的臉頰骨上，而我的眼睛只剩下深深的黑眼眶。

我們四個都死了，靜靜的坐著吃飯。

我看見我們的盤子裡放滿了小根的骨頭，餐桌中央有一個大盤子，裡頭高高的堆滿了灰綠色的骨頭，看起來像是人骨。

接下來，在我的夢中，大門傳來響亮的敲門聲打斷了我們令人作嘔的晚餐，敲門的聲音持續不斷，而且越來越響。那是凱西，我在舊家的好朋友。我可以看見她站在門口，掄著兩隻拳頭使勁的敲著門。

我想去應門，我想從餐桌跑下來，打開大門迎接凱西。我想跟凱西說話，想要告訴她這所有的一切，告訴她我已經死了，而我的臉也爛光了。

我好想見凱西。

但我無法從餐桌起身，我試了又試，卻還是站不起來。

敲門聲越來越響，變得震耳欲聾。但我只是和我陰森可怕的家人坐在那兒，從盤子裡抓起骨頭吃著。

我突的一驚，醒了過來，夢境恐怖的感覺還殘留不去，我的耳邊仍然傳來碰碰的敲門聲。我搖了搖頭，想要把夢境趕走。

是早晨了。窗外的天空是藍色的。

「噢，不！」

那窗簾！那窗簾又在飄動了，往屋裡的方向飄著，發出窸窣的聲音。

我坐了起來，兩眼直盯著窗戶。

窗戶仍舊是關著的。

這句英文怎麼說

我想去應門。

I wanted to go answer the door.

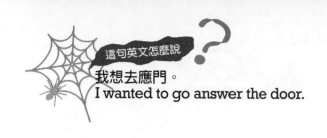

7.

「我會檢查一下窗戶，一定是有什麼地方漏風或是怎麼了！」爸爸吃早餐時說。他又吞下一大口炒蛋加火腿。

「但是，爸……很奇怪耶！」我說，仍然覺得很害怕，「那窗簾像瘋了似的飄著，但是窗戶卻是關著的！」

「也許是有一片窗玻璃脫落了。」爸爸猜測。

「亞曼達最會搞怪了！」喬許怪叫著。

「不要招惹你姊姊。」媽媽說著把餐盤放回桌上，往椅背上一靠。她看起來很疲倦，平時仔細往後梳的服服貼貼黑髮現在卻散亂不整。她拉拉睡袍的腰帶，說：「唉，我想我昨晚睡不到兩個小時。」

「我也是。」我說，嘆了一口氣：「我一直在想那個男孩會不會又出現在我的房裡！」

「亞曼達……不要再胡思亂想了。」媽媽尖聲說著：「不許再說什麼男孩在妳屋裡，窗簾在飄動之類的……妳得明白這是因爲妳太緊張了，想像力太過氾濫了！」

「但是，媽……」我正要開口。

「也許有個鬼躲在窗簾後面。」喬許故意這麼說。他抬起雙手，嘴裡發出「嗚嗚嗚」的鬼叫聲。

「喂！」媽媽把一隻手搭在喬許肩上：「記得你們答應過不再互相嚇來嚇去的嗎？」

「我們每個人要適應這個地方都會很辛苦。」爸爸說：「妳可能是作夢夢到窗簾在飄，亞曼達妳說妳昨晚做了個惡夢是嗎？」

那個可怕的惡夢再度閃進我的腦海，再一次，我又看見桌上的那一大盤骨頭。

我打了個冷顫。

「這兒好潮濕！」媽媽說。

「有點陽光進來會讓這兒乾燥一些。」爸爸說。

我往窗外望去，天空陰沉沉的，那些樹木似乎罩住了整個後院上空。

「派帝呢？」我問。

「在後院。」媽媽回答，並吞下一口炒蛋。「牠也起得很早。睡不著吧，我猜。所以我就把牠放出去了。」

「今天我們要做什麼？」喬許問。他總是得要知道當天的計劃，甚至每一個細節。主要是爲了要爭辯一番。

「你爸爸和我還有好多箱子要拆。」媽媽說著朝後面的玄關瞥了一眼，那兒堆著許多還沒拆封的紙箱。「你們兩個可以到附近去逛逛，看看會發現些什麼。看看附近有沒有跟你們差不多大的孩子。」

「換句話說，你們要我們滾蛋就是了！」我說。

爸爸媽媽都笑了。「妳很聰明，亞曼達。」

「可是我也想幫忙拆開我的東西！」喬許叫道。我就知道他會有意見，就像往常一樣。

「去穿衣服，然後去散個步。」爸爸說：「帶派帝一塊去，好吧？給牠繫上狗鍊，我放在前面的樓梯旁邊了。」

「我們的腳踏車呢？為什麼我們不能騎腳踏車？」喬許問。

「腳踏車堆在車庫後頭。」爸爸告訴他：「現在你沒辦法把它們挖出來。而且，輪胎也沒氣了。」

「要是不能騎腳踏車，我就不出門！」喬許把雙手環抱在胸前，堅持的說。

爸爸媽媽叫他別鬧了，然後還威脅他。最後，他終於同意去散一個「短短的」步。

我把早餐吃完，想起凱西和我舊家的其他朋友。

不知道達克弗斯的小孩會是什麼樣子？我到底能不能交到新朋友，我是說真正的朋友。

因為爸媽有那麼多工作要做，我自願去洗早餐的碗。當我用海綿刷著盤子時，流過雙手的溫水讓我覺得很舒服、很平靜。

我想也許我是個怪人。我喜歡洗碗。

在我背後，從屋子前頭的某個地方，傳來喬許跟爸爸爭辯的聲音。自來水嘩啦啦的流著，我只隱約聽出幾個字。

「你的籃球收在其中一個紙箱裡。」爸爸說。然後喬許說了些什麼。接著爸爸說：「我怎麼會知道是哪一個？」之後喬許又說了些什麼。接著爸爸說：「不，我現在沒時間去找。不管你相不相信，你的籃球並不是我工作清單上頭最重要的一項。」

我把最後一個盤子放到架子上讓它滴乾，然後要找一條毛巾來擦手。我看不見半條毛巾，我猜也許還沒拆箱吧！

我在睡袍前襟上擦乾了手之後，便要上樓去。「我五分鐘後就穿好衣服，」我對喬許喊，他還在客廳裡跟爸爸爭執。「然後我們就可以出門了。」

我走上樓梯，卻猛然停下腳步。

在我上方的樓梯平台上站著一個陌生的女孩，看起來年紀跟我差不多，留著

這句英文怎麼說

不管你相不相信。
Believe it or not.

黑色短髮。

她朝著我笑，但並不是溫暖的微笑，也不是友善的微笑，而是我所見過最冰冷、最教人毛骨悚然的微笑。

8.

一隻手搭在我的肩膀上。

我回過身來。

是喬許。「如果不能帶我的籃球，我就不去散步。」他說。

「喬許——拜託！」我回頭往樓梯平台看去，那個女孩已經不見了。

我感到渾身發冷。我的腿抖個不停，用手緊抓住樓梯欄杆。

「爸爸！快來——拜託！」我喊道。

喬許馬上緊張起來。「嘿，我又沒做什麼！」他叫道。

「不——不是——不是你。」我說，又高聲大喊爸爸。

「亞曼達，我很忙耶！」爸爸說著從樓梯底下出現，他因為忙著把客廳的東

這句英文怎麼說？

我很忙耶！
I'm kind of busy.

西給拆箱已經汗流浹背了。

「爸爸，我看見有人！」我對他說：「就在上面，是個女孩！」我指著上頭。

「亞曼達，拜託！」他回答，一邊做了個鬼臉：「別再疑神疑鬼了——好嗎？這屋子裡除了我們四個就沒有別人了……也許還有幾隻老鼠。」

「老鼠？」喬許突然感興趣了，問道：「真的嗎？在哪裡？」

「爸爸，不是我幻想出來的！」我說，我的聲音很沙啞。他不肯相信我，我真的覺得很受傷。

「亞曼達，瞧瞧上面，」爸爸說，眼睛往上盯著樓梯平台：「妳瞧那是什麼？」

我順著他的目光看過去。樓梯平台上是我的一堆衣服，媽媽一定是剛剛把它們拆箱了。

「那只是衣服，」爸爸不耐煩的說：「不是什麼女孩，是衣服。」他轉著眼睛。

「抱歉，」我低聲說。我一邊走上樓梯，一邊重複的說：「抱歉。」

但是我並不真的覺得抱歉。我覺得很困惑。

而且還是很害怕。

我有可能把一堆衣服看成一個微笑的女孩嗎？

不，我不認爲如此。

我沒有發瘋，而且我的視力非常好。

那麼，這究竟是怎麼回事？

我打開房間的門，開了天花板上的燈，看見窗簾在凸窗前面不停的飄動著。

噢，不！別再來了！我心想。

我快步跑到窗前。這一次，窗戶是開著的。

是誰打開的？

是媽媽，我猜。

溫暖潮濕的空氣吹進房間裡，天色沉重而灰暗。我聞到快要下雨的味道。

我轉身面對床鋪，又嚇了一大跳。

有人在床腳給我擺了一套衣服。一條褪色的牛仔褲，還有一件淺藍色的背心。它們被攤在我的床腳。

是誰擺的？媽媽？

這句英文怎麼說

我得離開這兒。
I've got to get out of here.

我站在門口，對媽媽喊：「媽媽，媽媽……是妳替我挑了衣服嗎？」

我聽見她從樓下喊了些什麼，但是卻聽不清楚字句。

冷靜下來，亞曼達，我對自己說。冷靜下來。

當然是媽媽把衣服挑出來的，當然是媽媽把它們放在那兒的。

我站在門口，聽見衣櫃裡有低語的聲音。

衣櫃門後傳出低語的聲音和壓低了的笑聲。

這是極限了，我再也無法忍受了。「這裡到底是怎麼了？」我使勁的大喊。

我衝到衣櫃前，把櫃門打開。

我狂亂的把衣服推到一旁。沒人在裡面。

是老鼠嗎？我心想。我聽見的是爸爸說的老鼠嗎？

「我得離開這兒。」我出聲說。

這個房間，我知道，會讓我抓狂。

不。是我自己讓自己抓狂，憑空想像出這些奇怪的事。

每件事情都有合乎邏輯的解釋。每件事情。

當我拉上牛仔褲，繫好褲帶，我一遍又一遍在心裡重複「合乎邏輯」這個詞。我重複了這麼多遍，以致於它聽起來一點也不真實了。

冷靜下來，亞曼達。冷靜下來。

我深深吸一口氣，憋氣數到十。

「嚇！」

「喬許——別這樣！你嚇不到我。」我對他說，聲音聽起來比我想要做出的還要不快。

「我們出去吧！」他說，從門口盯著我瞧：「這地方讓我發毛。」

「咦？你也會呀？」我大聲說：「你碰上什麼了？」

他想要開口說些什麼，卻又停住了。他突然顯得很窘。「算了，沒事。」他咕噥道。

「不，告訴我！」我堅持道：「你本來想說什麼？」

他踢著牆上的飾板。「我昨晚做了一個很可怕的惡夢。」他終於承認，視線越過我，看著窗口窸窣飄動的窗簾。

這句英文怎麼說

這地方讓我發毛。

This place gives me the creeps.

「作夢？」我想起自己可怕的夢境。

「是呀，有兩個男孩在我房裡。他們好壞！」

「他們做了什麼？」我問。

「我不記得了，」喬許說，避開我的眼光：「我只記得他們很嚇人。」

「發生了什麼？」我問，轉身對著鏡子梳我的頭髮。

「然後我就醒來了。」他說。接著又不耐煩的說：「來吧，我們走吧。」

「那些男孩對你說了什麼嗎？」我問。

「沒有，我想沒有。」他若有所思的回答：「他們只是笑。」

「笑？」

「嗯，咯咯的笑……之類的。」喬許說：「我不想再談這件事了，」他氣沖沖的說：「我們到底要不要去散那個愚蠢的步呀？」

「好啦，我準備好了。」我說，把梳子放下，再朝鏡子裡看了最後一眼：「我們去散那個愚蠢的步吧！」

我跟著他穿過走廊。當我們經過樓梯平台上的那堆衣服時，我又想起剛才看見「她」——站在這兒的那個女孩，然後我又想起我們剛搬來時站在窗口邊的那個男孩，還有喬許在夢裡看見的兩個男孩。

我認定這證明喬許和我都對搬家這件事太過緊張了。也許爸媽是對的，我們的想像力太過氾濫了。

這一定是我們的想像力作祟。

我的意思是，要不然還能是什麼呢？

這句英文怎麼說

要不然還能是什麼呢？
What else could it be?

9.

幾秒鐘後，我們走進後院去牽派帝。牠和往常一樣很高興看到我們，然後用牠沾滿泥巴的爪子撲到我們身上，興奮的狂吠著，在枯葉堆裡瘋狂的兜著圈子。光是看到牠就讓我開心了起來。

雖然天空灰濛濛的，外頭還是很悶熱，沒有半點風。沉重的老樹動也不動的杵在那兒，就像一尊尊雕像。

我們沿著碎石子車道往街上走去，球鞋踢起褐色的枯葉。派帝歪歪扭扭的跑在我們旁邊，一下在我們前面，一下又跑到後頭。

「至少爸爸沒叫我們清理這堆枯葉。」喬許說。

「他會的！」我警告說：「我想他還沒把耙子拆箱出來。」

喬許做了個鬼臉。我們站在路邊，回頭望著我們的房子，二樓那兩扇凸窗像眼睛一樣回看著我們。

隔壁的房子，我頭一次注意到，大概跟我們的房子差不多大，只不過它是棟木屋，而不是磚造的。客廳的窗簾拉了下來，樓上有幾扇窗戶也被百葉窗遮了起來。整棟房子同樣被高高的樹木覆蓋在陰影中。

「往哪邊走？」喬許問，然後丟了一根樹枝讓派帝去追。

我指著學校的方向。「學校在那邊，」我說：「我們去瞧瞧。」

路面往上坡傾斜。喬許從路邊撿起一根樹枝當作枴杖，而派帝一直追著想要咬那根樹枝。

街上沒有任何人影，當我們經過別家的前院時，也沒看到半個人，也沒有車輛經過。

我不禁想，這會不會是個廢棄的城鎮。過沒多久，一個男孩從一道矮籬後面走了出來。

他出現得如此突然，我和喬許都停下了腳步。「嗨！」他羞澀的說，對我們

這句英文怎麼說

喬許做了個鬼臉。
Josh made a face.

揮了揮手。

「嗨！」喬許和我同時回答。

然後，我們還來不及阻止，派帝就朝那個男孩跑去，牠聞聞他的球鞋，開始咆哮狂吠。那男孩後退了幾步，抬起手來，好像在防衛自己。他看起來真的很害怕。

「派帝——停下來！」我喊道。

喬許抓住狗兒，把牠抱了起來，但牠還是吠個不停。

「牠不會咬人，」我對那個男孩說：「牠通常也不會亂叫的，對不起。」

「沒關係，」那男孩說，眼睛直盯著派帝。那狗兒仍在喬許的懷裡扭動，想要掙扎下地。「牠也許在我身上聞到了什麼氣味。」

「派帝，停下來！」我喊道。那狗兒還是不肯停的扭動：「你不想要繫狗鍊吧！是不是？」

那男孩留著卷曲的金色短髮，眼珠是很淺的藍色。他有個滑稽的朝天鼻，長在他嚴肅的臉孔上似乎有些不搭調。雖然天氣這麼悶熱，他卻穿著一件紅褐色長袖運動衫、黑色直筒牛仔褲，褲子後面的口袋裡還塞著一頂藍色棒球帽。

「我叫亞曼達．班森，」我說：「這是我弟弟喬許。」

喬許遲疑的把派帝放回地上。派帝叫了一聲，抬頭瞧著那個男孩，輕輕吠了幾聲，然後就坐在地上開始搔癢。

「我叫雷．瑟斯頓。」那男孩說，把手插進牛仔褲口袋裡，仍然警戒的盯著派帝。不過看到那狗兒不再有興趣對他吠叫，他似乎放鬆了一些。

我突然間覺得雷很面熟。我以前見過他嗎？是在哪兒？我努力盯著他瞧，終於我想了起來。

然後我因爲突如其來的恐懼而倒抽了一口氣。

雷就是那個男孩，那個在我房間裡的男孩。在窗口邊的那個男孩。

「你——」我結結巴巴，指控的說：「你到過我家！」

他看起來很困惑。「什麼？」

「是你在我房間裡——是不是？」我逼問。

他笑了起來。「我不懂，」他說：「在妳房間？」

這句英文怎麼說

你現在住在哪兒？
Where do you live now?

派帝抬起頭來，朝著雷的方向發出一聲低沉的吼叫，接著又繼續認眞的搔著癢。

「我以爲我見過你。」我開始感到有點不確定了。也許那並不是他，也許……

「我已經好久沒去過妳家了。」雷說，小心翼翼的看著派帝。

「好久沒去？」

「是呀！我以前曾經住在妳家。」他回答。

「什麼？」喬許和我驚訝的盯著他：「住在我家？」

雷點點頭說：「在我們剛搬到這裡的時候。」他拾起一塊扁平的石頭，往馬路那頭丟過去。

派帝吠了幾聲，開始追那塊石頭，然後又改變了心意，突的坐回地上，尾巴激動的搖來搖去。

沉重的雲塊低低掠過天空，天色似乎變得更陰暗了。

「你現在住在哪兒？」我問。

雷又扔了一塊石頭，然後往上坡方向的街上指去。

「你喜歡我們的家嗎？」喬許問雷。

「嗯，還可以。」雷對喬許說：「很好，很陰涼。」

「你喜歡？」喬許叫道：「我覺得那房子糟透了，好黑又好……」

派帝打斷了他的話。牠再度對雷吠叫起來，牠跑上前去，一直跑到雷面前十幾二十公分的距離，然後又向後退開。雷小心翼翼的後退幾步，一直退到了路邊。

喬許從短褲口袋裡取出狗鍊。「對不起，派帝。」他說。我拉住那吠個不停的狗兒，讓喬許把狗鍊繫上牠的脖子。

「牠以前從來不會這樣，眞的。」我對雷抱歉的說。

派帝似乎對狗鍊感到很困惑，使勁的往後拉，把喬許拖過了馬路。但是至少牠停止吠叫了。

「讓我們做些什麼吧！」喬許不耐煩的說。

「你想做什麼？」雷問道。他現在因爲派帝繫上了狗鍊而又放鬆下來。

我們三個都想了一會兒。

「也許我們可以到你家去。」喬許對雷提議。

雷搖搖頭。「不，我想不行。」他說：「至少現在不行。」

「其他的人都上哪兒去了？」我問，望著左右兩邊空蕩蕩的街道：「這裡眞的是一片死寂，是不是？」

他咯咯笑了起來。「是呀，妳這麼說也沒錯。」他說：「要不要去學校後面的操場？」

「嗯，好呀！」我同意。

我們三人沿著馬路走去，雷在前面帶路，我在他後面幾步的地方跟著，喬許一手握著樹枝，一手拉著狗鍊，派帝一會兒跑到這裡，一會兒又跑到那裡，整得喬許好不辛苦。

直到我們轉過街角，我們才看到了那群孩子。

他們大約有十或十二個人，大多數是男孩，也有幾個女孩。他們一邊從馬路中間向著我們走過來，一邊嬉笑叫喊，開玩笑的推來推去，其中有幾個年紀跟我差不多，有幾個則大了些。他們穿著牛仔褲和深色的T恤，當中有一個女孩特別突出，因爲她留著又直又長的金髮，又穿著醒目的綠色緊身衣。

「嘿，你們瞧！」一個高個子的黑髮男孩指著我們喊。

看見雷、喬許和我，他們安靜下來，但是仍朝著我們走來。其中有幾個人咯咯的笑著，好像因爲某種私密的玩笑而很開心似的。

我們三個停下腳步，看著他們逐漸走近。我笑了一笑，想要跟他們打招呼。派帝卻使勁拉扯狗鍊，死命的吠著。

「嗨，夥伴！」那個黑頭髮的高個子男孩說，一邊露齒而笑。不知道什麼緣故，其他的孩子似乎覺得這很好玩，紛紛笑了起來。那個穿綠色緊身衣的女孩推了一個矮個子的紅髮男孩一把，幾乎讓他栽到我身上。

「事情進行得怎麼樣，雷？」一個留著黑色短髮的女孩問，對著雷微笑。

「還不壞。嗨，夥伴！」雷回答。他轉向喬許和我，說：「這些是我的朋友，他們全都住在附近。」

「嗨！」我說，覺得有些尷尬。我眞希望派帝別再這樣拉扯著狗鍊猛叫了。可憐的喬許費盡力氣才能拉住牠。

「這是喬治．卡本特，」雷說，指著那個矮小的紅髮男孩，那男孩點了點頭。

這句英文怎麼說

事情進行得怎麼樣？
How's it going?

「這是傑瑞・富蘭克林、凱倫・桑莫塞特、比爾・葛列格里……」他一一介紹每個孩子。我努力想記住所有的名字，不過，當然，那是不可能的。

「妳喜歡達克弗斯嗎？」一個女孩問我。

「我不知道耶，」我對她說：「事實上，這是我來這兒的頭一天。這裡似乎不錯。」

不知道爲什麼，幾個孩子聽到我的回答便笑了起來。

「這是哪一種狗？」喬治・卡本特問喬許。

喬許告訴了他，兩手緊緊握住狗鍊的把手。喬治盯著派帝瞧，仔細研究著牠，好像以前從沒見過派帝這種狗似的。

當其他幾個孩子正在研究派帝時，凱倫・桑莫塞特——一個留著金色短髮的漂亮高個子女孩——走到我面前。「妳知道嗎，我曾經住過妳家。」她輕聲的說。

「什麼？」我不確定我有沒有聽錯。

「我們到操場去吧！」雷打斷我們。

沒人回應雷的提議。

他們安靜了下來，就連派帝也停止吠叫了。

凱倫眞的是說她曾經住過我家嗎？我想要問她，但是她後退幾步，回到孩子的圈圈裡。

圈圈！

當我發現他們形成一個圓圈圍著我跟喬許時，我不禁張大了嘴巴。

我感到一陣恐懼戳進胸口。這是我的想像嗎？還是確實有什麼事情在發生？剎那間，他們全變了樣。他們都在微笑，但是他們的臉孔很緊繃，很警戒，好像料到會有什麼麻煩似的。

我注意到其中有兩個人手裡拿著球棒，那個穿著綠色緊身衣的女孩盯著我瞧，上上下下的打量我。

沒有人說半句話。街上一片寂靜，除了派帝，牠正輕聲低吠著。

我感到非常害怕。

他們爲什麼要這樣盯著我們看？

或者這又是我的想像力太過氾濫了呢？

我轉向雷，他仍然站在我身邊。他似乎一點也不覺得不安，但是他並沒有回應我的眼光。

「嘿，夥伴們——」我說：「是怎麼了呀？」我故意顯得很輕鬆，但是我的聲音卻有些發顫。

我往喬許看去，他正忙著安撫派帝，沒有注意到情勢有所轉變。

那兩個拿著球棒的男孩把棒子提到腰間，向前走過來。

我望著那個圓圈，感覺到一股恐懼緊緊的壓住我的胸口。

圓圈縮小了。那群孩子一步步向我們逼近過來。

這句英文怎麼說

沒有人說半句話。
No one said a word.

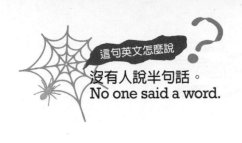

10.

頭上的烏雲似乎更低了，空氣沉重而潮濕。

喬許正在撥弄派帝的項圈，仍然不知道發生了什麼事。我心想不知道雷會不會開口說話，會不會做些什麼去阻止他們。但他只是面無表情，一動也不動的站在我身邊。

那些孩子一步步的逼近，圈子越縮越小。

我發現自己憋著呼吸。我深深吸了一口氣，張開嘴巴想要大叫。

「嘿，孩子們——你們在做什麼？」

那是一個男人的聲音，從圈子外頭喊著。

每個人都回過頭來，看見道斯先生快步走向我們，踏著大步走過馬路，敞開

這句英文怎麼說

我們正要到操場去。
We're heading to the playground.

來的運動上衣在身後飄動。他的臉上帶著友善的微笑：「你們在做什麼？」他又問一次。

他似乎並不知道這群孩子正在朝喬許和我逼近。

「我們正要到操場去。」喬治．卡本特揮著手中的球棒，對他說：「去打壘球。」

「很好。」道斯先生說著，把他被風吹到肩上的條紋領帶拉了下來。他抬頭看看越來越暗的天空：「希望你們不會淋到雨。」

幾個孩子退後了幾步。他們現在三三兩兩的站著，圓圈已經散掉了。

「這根棒子是打壘球還是棒球的？」道斯先生問喬治。

「喬治才不知道，」另一個孩子很快的回答：「他從來沒用那根棒子打到過任何東西！」

孩子們都笑了起來。喬治開玩笑的嚇唬那個孩子，作勢要用棒子打他。

道斯先生揮了揮手，正要離開，但他突然停下腳步，眼睛因爲驚訝而張大。

「嘿，」他說，朝我友善的笑了笑：「喬許、亞曼達，我剛才沒看見你們。」

「早安。」我低聲說。我覺得很困惑，片刻之前，我還害怕得要命，現在每個人卻都又笑又鬧的。

是我想像這些孩子在朝我們逼近嗎？雷和喬許似乎都沒有注意到任何異狀。是我過度活躍的想像力在作怪嗎？

要是道斯先生沒出現，會發生什麼事？

「你們兩個在新家適應得如何？」道斯先生問，一邊把他卷曲的金髮往後順。

「還好。」喬許和我異口同聲的說。派帝抬頭看到道斯先生，便叫個不停，拚命地拉扯狗鍊。

道斯先生臉上做出誇張的受傷表情。「我好傷心，」他說：「你們的狗還是不喜歡我。」他朝派帝彎下腰來。「嘿，狗兒──放輕鬆點。」

派帝憤怒的朝他吠叫。

「牠今天似乎不喜歡任何人。」我對道斯先生抱歉的說。

道斯先生站起身來，聳了聳肩說：「眞是沒辦法贏得所有人的心哪！」他開始往他停在幾碼之外的車子走回去。「我正要到你們家去。」他對喬許和我說：

這句英文怎麼說

他人不錯。
He's a nice guy.

「我只是想看看有什麼幫得上忙的地方。好好玩，孩子們。」

我看著他鑽進車子裡，開車離去。

「他人不錯。」雷說。

「是呀。」我同意。我仍然覺得不安，心想道斯先生走了，這些孩子不知道會做什麼。

他們會不會再圍成嚇人的圓圈呢？

他們沒有。每個人都往前走，沿著街道往學校後面的操場走去。他們彼此開著玩笑，自顧自的交談著，不太理會喬許和我。

我忽然覺得自己有點蠢。顯然他們並沒有想要嚇唬我和喬許。這整件事一定是我自己想像出來的。

一定是的。

還好，我對自己說，至少我沒有尖叫或是大吵大鬧。至少我沒有讓自己鬧笑話。

操場上沒有半個人影。我想大多數的孩子可能因爲天色像是要下雨而待在屋子裡了。這個操場是一塊又大又平坦的草地，四面用高高的金屬欄杆圍了起來。在最靠近校舍的那一頭有盪鞦韆和溜滑梯，另一頭有兩個棒球場。欄杆外面，有一座網球場，同樣也沒有半個人。

喬許把派帝栓在欄杆上，然後跑過來加入我們。那個名叫傑瑞・富蘭克林的男孩幫大家分派隊伍，雷和我在同一隊，喬許在另一隊。

當我們的隊伍上場防守時，我感到很興奮，又有點緊張。我並不是世界上最棒的壘球手。我的打擊還不錯，但是防守卻是笨拙無比。幸好傑瑞派我去守右外野，很少有球會打到這裡來。

雲層漸漸分開了一點，天色變亮了一些。我們整整打了兩局，另外一隊領先，八比二。我玩得很開心。我只失誤過一次，而頭一次輪到我打擊時，我就擊出了一支二壘安打。

跟一整群剛認識的孩子一塊玩，真的是很棒，他們似乎人都很好，尤其是那個叫做凱倫・桑莫塞特的女孩，我們在等待上場打擊的時候聊了一會兒。凱倫笑起來很好看，雖然她上下兩排牙齒都裝了牙套。她似乎很想跟我做朋友。

這句英文怎麼說

很高興認識你。
Nice meeting you.

第三局一開始，就在我們的隊伍要上場防守的時候，太陽漸漸露出臉來。突然間，我聽到一聲響亮尖銳的哨音，我四處張望，看見傑瑞・富蘭克林正在吹著一只銀色的哨子。

每個人都朝他跑過去。「我們最好停止。」他說，抬頭看著越來越亮的天空：「我們答應過家人要回家吃午飯，是吧？」

我看看手錶，才十一點半，還早得很嘛。

但是出乎我意料的，並沒有人提出異議。

他們彼此揮揮手，互道再見，然後就跑開了。他們跑得是如此之快，就好像是在賽跑或趕什麼似的，簡直令人無法置信。

凱倫像其他人一樣跑過我身邊，她低著頭，漂亮的臉上有種嚴肅的表情。然後她突然停下腳步，轉過身來。「很高興認識妳，亞曼達。」她回頭叫道：「我們再找個時間聚聚。」

「太好了！」我對她喊道：「妳知道我住在哪兒嗎？」

我聽不清楚她的回答，只看見她點了點頭。

我好像聽見她說：「嗯，我知道，我曾經住過妳家。」

但我一定是聽錯了。

她不可能這麼說的。

這句英文怎麼說

幾天過去了。

Several days went by.

11.

幾天過去了。喬許和我漸漸習慣了我們的新家，也習慣了我們的新朋友。那些每天跟我們一起在操場上玩的孩子，其實不能算是我們的朋友。他們會跟喬許和我講話，也讓我們加入他們的球隊，但是眞的很難跟他們混熟。

在我房裡，我還是不斷在深夜聽見低語聲，還有輕輕的笑聲，但是我強迫自己不去理它。一天晚上，我以爲我看見一個全身白衣的女孩站在樓上走廊的那一頭，但是當我過去查看時，卻只見到牆邊堆著一堆骯髒的床單和被褥。

喬許和我都在適應，然而派帝的行爲卻還是很奇怪。我們每天都帶牠到操場去，不過得把牠栓在欄杆上，否則牠便會對所有的孩子又叫又咬。

「新的環境，還是讓牠很緊張。」我對喬許說：「牠會平靜下來的。」

但是派帝並沒有平靜下來。大約兩個星期之後，有天我們跟雷、凱倫、傑瑞、喬治，還有一群其他的小孩打完一場壘球賽後，當我轉頭望向欄杆時，赫然發現派帝不見了。

牠不知怎的掙脫狗鍊跑走了。

我們找了好幾個小時，直叫：「派帝！派帝！」從一條街走到另一條街，找過無數的前院和後院、空地和樹林。然後，就在附近繞過兩圈之後，喬許和我突然發現我們迷路了。

達克弗斯的街道看起來都是一個樣子，兩旁排列著老舊的磚房或木屋，屋旁，種滿了樹蔭濃密的老樹。

「我眞不敢相信，我們迷路了！」喬許說著靠在一根樹幹上，試著調勻呼吸。

「那條笨狗！」我低聲咕噥，眼睛不斷在街上搜尋。「牠爲什麼要這麼做？牠以前從來沒有跑走過。」

「我不知道牠是怎麼掙脫的，」喬許搖著頭說，接著用T恤的袖子擦拭冒著汗的額頭。「我明明把狗鍊綁得很牢的！」

這句英文怎麼說

我們迷路了！
We're lost.

「嘿，也許牠跑回家了！」我說。這個想法立刻讓我開心起來。

「是呀！」喬許從樹幹上起身，朝我走過來：「我打賭妳是對的。牠也許早就回家好幾個鐘頭了呢！噢，我們眞笨。我們應該先回家瞧瞧的。我們走！」

「嗯，」我說，環顧周圍空蕩蕩的院子：「我們得先找到回家的路。」

我往馬路兩邊望去，努力回想我們離開學校操場時，是轉到哪條路上的。我想不起來，所以只好信步走著。

很幸運的，當我們走到下一個街角時，學校就進入了我們的視線。我們整整繞了一大圈。從這兒要找到回家的路就很容易了。

經過操場時，我看著欄杆上派帝原來被栓著的地方。這隻愛找麻煩的狗！自從我們搬到達克弗斯後，牠就一直很不乖。

當我們回到家時，牠會在家裡嗎？我希望是。

幾分鐘後，喬許和我便跑上了家門前那條碎石子車道，我們放聲大叫狗兒的名字。前門突然被推開了，媽媽探出頭來。她頭上紮著一條紅色的大花手帕，牛仔褲的膝蓋上沾滿了灰塵。她和爸爸正在給後面的門廊上油漆。

「你們跑到哪裡去了？午餐時間已經過了兩小時了！」

喬許和我同時問：「派帝在家嗎？」

「我們在找派帝。」

「牠在不在家？」

媽媽的臉上滿是困惑。「派帝？我以爲牠跟你們在一起。」

我的心一沉。喬許重重的嘆了一口氣，碰的倒在車道上，四仰八叉的躺在碎石子和枯葉上頭。

「妳沒有看見牠嗎？」我問。我微微顫抖的聲音顯露出我的失望：「牠本來是跟我們在一起的，但是後來跑走了。」

「哦，眞是糟糕！」媽媽說，打手勢叫喬許從地上爬起來：「牠跑走了？我以爲你們用狗鍊栓著牠。」

「妳一定得幫我們找到牠，」喬許懇求道，他還是不肯從地上起來：「去開車嘛，我們一定得找到牠——現在就去！」

「我確定牠一定沒有走遠。」媽媽說：「你們一定餓壞了。進來吃點東西，

這句英文怎麼說

我們在找派帝。
We've been looking for Petey.

然後我們再去——」

「不，現在就去！」喬許尖叫道。

「怎麼回事呀？」爸爸也來到前廊，臉上和頭髮上都沾著小塊的白色油漆。

「喬許……你在鬼叫些什麼呀？」

我們對爸爸說明剛才發生的事，他說他太忙了，沒辦法開車去找派帝。媽媽說她會去找，但是我們得先吃點東西。我把喬許從地上拉起來，拖進屋子裡。

我們洗了手，吞了幾口果醬花生三明治，然後媽媽從車庫裡把車開出來，在附近轉了又轉，尋找我們走失的狗兒。

但是都找不到。

完全沒有派帝的蹤影。

喬許和我難過極了。心都碎了。爸爸媽媽打電話給本地的警察局。爸爸不斷說派帝的方向感很好，隨時都有可能會出現的。

但是我們不太相信。

牠在哪兒呢？

我們四個靜靜的吃著晚餐，這是我這輩子最漫長、最糟糕的夜晚了。「我明明把牠綁得很牢的！」喬許一遍又一遍的說，幾乎都快流下眼淚了。他的餐盤還是滿滿的。

「狗兒都是逃脫專家。」爸爸說：「別擔心，牠會回來的！」

「今天可眞是個參加派對的好日子！」媽媽悶悶不樂的說。

我完全忘了他們今晚要出門。住在隔壁街上的幾位鄰居邀請他們去參加一個大型的派對。

「我也很不想去。」爸爸嘆了一口氣說：「我油漆了一整天，累得要命……但是我想我們應該敦親睦鄰，你們在家裡一定會好好的吧？」

「嗯，我想是吧！」我說，心裡想著派帝。我一直留神聆聽牠的吠聲，聽著門上是不是有抓門的聲音。

但是都沒有。時間一小時一小時慢慢過去，到了就寢的時間，派帝還是沒有出現。

喬許和我沒精打采的走上樓。我覺得非常疲倦，也許是因爲擔心了一整天，

這句英文怎麼說

別擔心，牠會回來的。
Don't worry. He'll show up.

又到處跑來跑去的尋找派帝吧。不過儘管很累了，我知道我一定沒辦法睡得著覺的。

我站在房門外頭的走廊上，聽見房間裡傳來低語聲和輕輕的腳步聲。這些我都司空見慣了，不會再被這些聲音嚇著或是大驚小怪了。

我毫不遲疑的走進房間，把電燈打開。正如我所預料的，房間是空的。那些神祕的聲音消失了。我朝窗口望了一眼，窗簾是靜止的。

然後我看見散落在床上的那堆衣服。

幾件牛仔褲、幾件T恤，兩、三件運動衫，還有我唯一一件正式的裙子。

好奇怪喲！我心想。媽媽有嚴重的潔癖，如果她洗了這些衣服，一定會把它們掛起來，或是收進衣櫥的抽屜裡。

我疲憊的嘆了一口氣，把衣服一件件收進衣櫃裡。我猜媽媽一定是太忙了，沒空收拾。她可能是洗好這些衣服之後，就把它們留在那兒讓我來收拾，或者她想先放在那兒一下，打算待會兒再回來收拾，但是後來又忙於其他的瑣事，沒空過來。

半個鐘頭之後，我裹在被窩裡，仍然十分清醒，兩眼瞪著天花板上的陰影。過了一段時間——我已經失去了對時間的感覺——我仍然清醒著，仍然在想著派帝，想著那些新認識的孩子，想著這個新的環境……這時我聽見我臥室的房門吱嘎響了一聲，接著便盪了開來。

地板吱嘎作響，傳來了腳步聲。

我在黑暗中坐起身來。有人潛進了我的房間。

「亞曼達——噓——是我！」

全神戒備的我花了好幾秒鐘，才認出這個壓低了的聲音。「喬許！你要做什麼？你爲什麼來這兒？」

我被突如其來的眩目強光驚得倒抽了一口氣，連忙遮住我的眼睛。「哦，抱歉！」喬許說：「是我的手電筒……我不是故意的……」

「喔，好亮哦！」我眨著眼睛說。他把那束白色的強光往上對著天花板。

「是呀，這是鹵素手電筒。」他說。

「喂，你要做什麼啦？」我惱怒的說。仍然看不清楚，我揉揉眼睛，但是沒

這句英文怎麼說

我要去把牠帶回來！
I'm going to get him!

有用。

「我知道派帝在哪裡，」喬許低聲說：「我要去把牠帶回來！要一起來嗎？」

「什麼？」我看看床頭櫃上的小鐘。「已經過了午夜耶，喬許。」

「那又怎樣？不會很久的，眞的。」

現在我的眼睛差不多恢復正常了。我透過手電筒的光線看著喬許，發現他已經穿好衣服了——牛仔褲和長袖T恤。

「我不明白，喬許……」我說著側過身來，把腳踏在地板上，「我們每個地方都找過了，你想派帝會在哪裡？」

「在墳場。」喬許回答。他的眼睛在手電筒的白光下顯得又大又深，而且十分嚴肅。

「什麼？」

「那是牠頭一次跑走時去的地方，記得嗎？在我們剛到達克弗斯的時候，牠跑到學校再過去一點的那個墳場裡。」

「嗯，等一等……」我開口要說話。

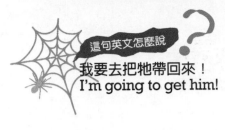

「我們下午會開車經過那裡，但是沒有進去找。牠在那兒，亞曼達。我知道牠在那兒，不管妳去不去，我都要去把牠帶回來。」

「喬許，冷靜一點！」我說，雙手按著他窄小的肩膀。我驚訝的發現他居然在發抖。「派帝沒有理由跑到墳場去呀。」

「那是他頭一回跑去的地方，」喬許說：「那天牠想在那兒找些什麼東西，我看得出來，我知道牠又跑到那兒去了，亞曼達。」他掙脫了我，說：「妳到底要不要來？」

我弟弟一定是全世界最頑固、最任性的人了。

「喬許，你眞的要在這麼晚的時候走進一個陌生的墳場嗎？」我問。

「我不怕！」他說，把亮晃晃的手電筒繞著房間晃著。

有短短的一秒鐘，我以爲手電筒的光束照到了什麼人，躲在窗簾後面。我張開嘴巴想要叫出聲，但是沒有人在那兒。

「妳到底要不要來？」他不耐煩的又問了一次。

我本來想說不要，但是當我瞥見窗簾，我心想，也許到墳場去不見得比待在

這句英文怎麼說

你到底要不要來？
You coming or not?

自己的房間更恐怖。

「嗯，好吧！」我勉強的說：「你出去，讓我換衣服。」

「好。」他低聲說，然後把手電筒關掉，我們陷入了一片漆黑。「到車道那頭跟我會合。」

「喬許，我們到墳場很快的看一眼，然後就趕快回家，知道嗎？」我對他說。

「是，知道。我們會在爸媽從派對回來以前到家的。」他悄悄的走出去。我能聽見他快步下樓的聲音。

這眞是有史以來最瘋狂的主意了，當我在黑暗中找衣服穿時，我對自己說著。

而且也滿刺激的。

喬許一定是想錯了。毫無疑問的，派帝現在一定不會在墳場裡頭遊蕩的。牠有什麼理由要去那裡？

但是還好路程並不太遠，而且這是一個冒險。是我可以寫信告訴凱西的題材。

如果喬許碰巧猜對了，我們能找到可憐的派帝，那更是再好不過了。

幾分鐘後，我穿著運動衫和牛仔褲，悄悄溜出屋子，來到車道那頭跟喬許會合。夜晚天氣仍然很暖和，厚厚的雲層遮住月亮，我頭一次注意到我們這條街上並沒有路燈。

喬許打開鹵素手電筒，照著我們腳下。

「妳準備好了嗎？」他問。

笨問題！要是我沒有準備好，我會站在這兒嗎？

我們踩著腳下的枯葉沿著街道走去，朝著學校的方向，從那兒到墳場只有兩條街的距離。

「好黑喲！」我低聲說。路邊的房屋又黑又安靜，街上完全沒有風，整個世界就好像只有我們兩個人似的。

「太安靜了。」我說著加快腳步趕上喬許，「都沒有蟋蟀或是什麼的，你確定你真的要到墳場去嗎？」

「我確定。」他說。他的目光跟隨著在地面上顛簸前進的手電筒光圈。「我

這句英文怎麼說

好黑喲。
It's so dark.

眞的認爲派帝在那兒！」

我們在馬路上走著，儘量靠著路邊。我們走了將近兩條街，學校剛剛進入我們的視線，這時我們聽見身後的人行道上傳來摩擦著地面的腳步聲。

喬許和我都停下了腳步，他把燈光放低。

我們兩個都聽到了腳步聲，不是我想像出來的。

有人在跟蹤我們。

12.

喬許驚嚇過度，手電筒從手中滾下，噹啷一聲掉在地上。手電筒的光閃爍了一下，但是並沒有熄滅。

就在喬許想要把手電筒撿起來之前，後面的人已經趕上了我們。我回過身來面對著他，心臟在胸口怦怦亂跳。

「雷！你在這兒做什麼？」

喬許把手電筒對著雷的臉，但雷連忙舉起手臂擋住臉孔，退入黑暗中。「你們兩個又是在這兒做什麼？」他喊道，聽起來幾乎和我們一樣驚恐。

「你——你嚇壞我們了！」喬許生氣的說，再度把手電筒對著我們腳下。

「對不起，」雷說：「我本來想出聲招呼的，但是我不確定是你們。」

這句英文怎麼說

那你呢？
What about you?

「喬許有個瘋狂的想法，他說他知道派帝可能在哪兒。」我對他說，仍然費力的喘著氣：「這就是我們會在這兒的原因。」

「那你呢？」喬許問雷。

「喔，我有的時候不太睡得著覺。」雷輕聲的說。

「你爸媽不擔心你這麼晚在外頭嗎？」我問。

在手電筒的照射下，我可以看見他臉上閃過一抹邪邪的微笑。「他們不知道。」

「我們到底要不要去墳場呀？」喬許不耐煩的問。不等我回答，他就沿著馬路小跑步起來，手電筒的光圈在他前方的人行道上，高高低低的晃動著。我轉過身來跟著他，想要儘量靠近光線。

「你們要上哪兒去？」雷喊道，並加快腳步趕上來。

「到墳場。」我喊回去。

「不，」雷說：「你們不能去。」

他的聲音是如此低沉，又如此具有威脅的意味，我不禁停下了腳步。「什麼？」

「你們不能去那裡。」雷重複的說。我看不見他的臉，他的臉藏在黑暗中，但是他的話聽起來像是在威脅。

「快一點！」喬許回頭喊我們。他並沒有放慢腳步，他似乎沒有注意到雷話裡威脅的意味。

「停下來，喬許！」雷喊道，聽起來比較像是命令，而非要求。「你們不能去那兒！」

「爲什麼？」我追問。我突然間感到很害怕，雷是在威脅我和喬許嗎？他是不是知道些什麼我們不知道的事？或者這次又是我在無中生有，大驚小怪了呢？

我往黑暗中凝視過去，想要看清楚他的臉。

「你們一定是瘋了，才會在晚上到那兒去！」他說道。

我不禁想，也許我剛剛錯怪他了。他不敢到那兒去，這就是爲什麼他想要阻止我們。

「你們到底要不要來呀？」喬許又問，距離我們越來越遠。

這句英文怎麼說

這是個很糟糕的主意。
This is a bad idea.

「我們不應該去的！」雷警告。

沒錯，他是在害怕！我心裡這麼認定。他在威脅我們什麼的純粹只是我的想像。

「你不必去，但是我們得去。」喬許堅持，腳下又加快了速度。

「不，眞的！」雷說：「這是個很糟糕的主意！」但是他也跟我肩並肩的跑著，要趕上喬許。

「派帝在那兒，」喬許說：「我知道牠在！」

我們經過黑暗寂靜的校園，在夜裡，校園看起來似乎比平時大得多。當我們轉過街角，來到墓園街時，喬許手電筒的燈光在低矮的樹枝間閃過。

「等等——拜託！」雷懇求道。但是喬許並沒有放慢腳步，我也沒有，我急著要到那兒把事情給了結。

我用袖子擦擦前額。空氣悶熱而凝滯。我眞希望我不是穿長袖，我感覺到頭髮濕答答的。

當我們到達墳場時，雲層仍然遮掩著月亮。我們穿過矮牆上的一道門，在黑暗中，我看見一排排歪歪扭扭的墓碑。

喬許手電筒的光束從一塊石頭移到另一塊，隨著他的腳步上上下下的跳動著。「派帝！」他突然喊出聲來，劃破了寂靜。

他打擾了死者的睡眠，我心想，驀的感到一陣寒冷。

別傻了，亞曼達。「派帝！」我也跟著喊，要把那些病態的想法給趕走。

「這是個非常糟糕的主意。」雷說，緊挨著我站著。

「派帝！派帝！」喬許喊。

「我知道這是個糟糕的主意，」我對雷承認：「但是我不想讓喬許一個人來這裡。」

「但是我們不應該在這裡。」雷用強調的口氣說。

我忽然希望他走開，沒人強迫他跟來，他爲什麼要這樣煩我們呢？

「嘿——瞧瞧這個！」喬許在我們前面幾碼的地方喊道。

我的球鞋在鬆軟的地面上叭噠作響，快步從一排排墳墓之間走過，竟然沒發現我們已經穿過整個墓園，來到墳場的另一頭了。

這句英文怎麼說

到底是什麼呀！
What on earth!

「瞧！」喬許又說，他的手電筒指著墳場邊緣一個奇怪的構造上。

在小小的光圈下，我花了一會兒的功夫才看出那是什麼。實在是出乎意料之外，那是某種劇場，我猜應該稱爲「圓形露天劇場」，從地面往下挖出一排排環形的座位，像階梯般逐漸下降，底部是一個像是舞台的低矮平台。

「到底是什麼呀！」我喊道。

我往前走了幾步，想要看清楚些。

「亞曼達——等等，我們回家吧！」雷喊道。他伸手向我的手臂抓來，但是被我閃開了，他只抓到空氣。

「眞是奇怪！爲什麼有人會在墳場邊上建造一座露天劇場呢？」我問。

我回頭去看喬許和雷是不是跟上來了，卻突然踢到了什麼東西。我跌倒在地上，膝蓋撞得好痛。

「噢，什麼東西呀？」

我痛得慢慢爬起身來，喬許把手電筒照過來。原來，我是被一根隆起的巨大樹根給絆倒了。

在閃爍的燈光下，我沿著那粗糙多瘤的樹根望過去，看到幾碼之外有一棵寬闊的老樹。那棵巨大的老樹朝著那個奇怪的地下劇場彎過去，傾斜的角度極低，好像隨時都會倒塌下去似的。大塊大塊的樹根從地面隆起，在我頭上，那老樹厚重茂密的枝葉，似乎都要彎到地上來了。

「樹倒囉！」喬許吼道。

「真奇怪！」我說：「嘿，雷——這是什麼地方呀？」

「這是聚會的地方。」雷輕聲說，他緊挨著我站著，眼睛直直盯著那棵傾斜的老樹，「他們把這兒當成某種集會場所，在這裡舉行鎮民聚會。」

「在墳場裡？」我喊道，覺得難以置信。

「我們走吧！」雷催促道，他看起來十分緊張。

我們三個人都聽到了腳步聲，是在我們後面，在一排排墳墓之間的某個地方。我們轉過身來，喬許手電筒的燈光在地面掃過。

「派帝！」

牠在那兒，站在最靠近我們的一排低矮的墓碑之間。我開心的轉向喬許，「我

這句英文怎麼說

真奇怪！
How weird!

眞不敢相信！」我喊道：「你說對了！」

「派帝！派帝！」喬許和我朝我們的狗跑去。

但是派帝拱起身體，倚在後腳上，好像準備要跑走似的。牠注視著我們，眼睛在手電筒的光線下像寶石般發著紅光。

「派帝！我們找到你了！」我喊道。

那狗兒垂下頭來，往後跑開。

「派帝！嘿——回來！你不認得我們了嗎？」

喬許突然衝出去，趕上了派帝，把牠從地上捉起來。「嘿，派帝，怎麼回事，夥伴？」

當我快步趕上去，喬許卻把派帝放回地上，向後退了幾步。「噢——牠好臭喔！」

「什麼？」我叫道。

「派帝——牠臭死了！牠聞起來像隻死老鼠！」喬許掩著鼻子說。

派帝慢慢的走開。

「喬許，牠似乎並不高興見到我們，」我悲傷的說。「牠甚至好像不認得我們……瞧瞧牠！」

的確，派帝走到下一排墓碑之間，轉過身來瞪著我們。

我感到一陣毛骨悚然。派帝發生了什麼事？牠的舉動爲什麼如此不尋常？牠爲什麼不高興見到我們？

「我不懂，」喬許說，他因爲那狗兒身上的氣味而皺著眉頭。「平常我們只要出去三十秒鐘，回來的時候牠都高興得要抓狂。」

「我們最好回去了！」雷喊道。他仍然站在墳場邊緣，靠近那棵傾斜大樹的地方。

「派帝──你是怎麼回事？」我對那狗兒叫喊，但是牠並沒有回應。「你不記得你的名字了嗎？派帝！派帝！」

「噁！臭死了！」喬許又喊。

「我們得把派帝帶回家，給牠好好的洗個澡！」我說。我的聲音在顫抖，我覺得好悲傷，又好害怕。

這句英文怎麼說

嗯！臭死了！
Yuck! What a stink!

「也許這不是派帝。」喬許若有所思的說。在手電筒的燈光下，那狗兒的眼睛又發出紅光。

「是牠沒錯。」我輕聲說：「瞧，牠拖著那條狗鍊。去捉住牠，喬許……然後我們回家。」

「妳去捉牠！」喬許叫道：「牠好臭哦！」

「捉住牠的狗鍊就好了，你不必把牠抱起來。」我說。

「不要！妳去。」

喬許又在頑固了。我看得出我沒有選擇。「好吧！」我說：「我去捉牠，但是我需要手電筒。」我從喬許手中拿過手電筒，朝派帝跑了過去。

「坐下，派帝，坐下！」我發號施令。這是派帝唯一會聽從的指令。

但是這一次牠並沒有聽從。相反的，牠轉過身來快步跑走，頭垂得低低的。

「派帝——停下來！派帝，過來！」我喊道，感到十分惱火：「不要逼我追你。」

「別讓牠跑走了！」喬許叫道，跑到我身後。

我拿手電筒沿著地面左右照來照去。「牠在哪裡？」

「派帝！派帝！」喬許喊，聲音聽起來又尖銳又著急。

我看不見派帝。

「噢，不！別告訴我牠又走丟了！」我說。

我們兩個一起喊牠。「那傢伙到底是怎麼回事？」我叫道。

我把手電筒的光束沿著一長排墓碑移動著，接著，又快速搜尋著下一排。沒有牠的蹤影。我們兩個一直不停的叫著牠的名字。

然後手電筒的光圈停在一個花崗岩墓碑的前面。

讀著墓碑上的名字，我突然停了下來。

接著倒抽了一口冷氣。

「喬許……你看！」我抓住喬許的袖子，緊緊的抓著。

「怎麼了？怎麼回事？」他的臉上滿是困惑。

「你看！這墓碑上的名字！」

墓碑上寫著：「凱倫・桑莫塞特」。

這句英文怎麼說

你看！這墓碑上的名字！
Look! The name on the gravestone!

喬許讀著那個名字，然後看看我，仍然十分困惑。

「那是我的新朋友凱倫，就是我每天在操場上跟她聊天的那個女孩！」我說。

「什麼？這一定是她的祖母或是什麼人。」喬許說，然後又不耐煩的加了一句：「走吧，趕快去找派帝！」

「不！看看日期！」我對他說。

我們兩個一起讀著凱倫·桑莫塞特名字底下的日期。一九六〇—一九七二。

「這不可能是她的母親或祖母。」我說，雖然我的手在發抖，但我仍然將光束固定在墓碑上。「這個女孩十二歲就死了，跟我一樣大。凱倫也是十二歲，她跟我說過。」

「亞曼達——」喬許沉下臉來，眼睛往別處看。

但是我又走了幾步，把光束對著下一塊墓碑，那是個我從來沒聽過的名字，我又繼續去看下一塊墓碑，又是一個我從未聽過的名字。

「亞曼達，走吧！」喬許嘀咕著說。

再下面的一塊墓碑上寫著喬治·卡本特的名字。一九七五—一九八八。

「喬許——你看！打球的那個喬治！」我喊。

「亞曼達，我們得去找派帝。」他堅持的說。

但是我沒辦法把目光從墓碑上移開。我一塊接著一塊，將手電筒的光束在銘刻的字母上移動著。

我越來越驚恐，我找到了傑瑞．富蘭克林，還有比爾．葛列格里。

我們一起玩壘球的所有孩子，他們都有一個墓碑在這裡。

我的心臟怦怦亂跳，我沿著歪歪斜斜的、成排的墓碑往下走，球鞋陷入柔軟的草地中。我覺得渾身麻木，因爲恐懼而麻木。

當我把光束照向這一排的最後一塊墓碑時，我努力握穩手中的手電筒。

雷．瑟斯頓　一九七七—一九八八

「什麼？」

我聽見喬許在叫我，但是我沒法聽清楚他在說什麼。

整個世界似乎都在向後倒退，我又再次讀著那深深蝕刻在墓碑上的名字：

雷．瑟斯頓　一九七七—一九八八

這句英文怎麼說

我覺得渾身麻木。
I felt numb.

我站在那兒，瞪著那些字母和數字。我瞪著它們，直到它們不再具有任何意義，只剩下灰濛濛的一片。

突然間，我發覺雷已經悄悄來到墓碑旁邊，正盯著我瞧。

「雷——」我勉強出聲，把光束移過墓碑上的名字。

「雷，這個是……是你！」

他的眼睛閃閃發光，像即將熄滅的餘燼般燒灼著。

「是的，是我。」他輕輕的說，向我逼近過來：「我很抱歉，亞曼達……」

13.

我後退一步，球鞋陷入腳下鬆軟的土裡。空氣靜止而沉重，沒有半點聲息，也沒有半點動靜。

一片死寂。我被死亡包圍了，我心想。

然後，我僵在原地，無法呼吸，黑暗的夜色繞著我旋轉，墓碑也在自身投射的黑影中打轉。

我心想：「他會怎樣對付我？」

「雷——」我好不容易才發出聲來，聲音聽來微弱而遙遠，「雷，你眞的死了嗎？」

「我很抱歉，妳現在還不應該知道的！」他說。他的聲音又低又沉，飄浮在

這句英文怎麼說

你真的死了嗎？
Are you really dead?

夜晚令人窒息的空氣中。

「但是……怎麼會？我是說……我不明白……」我的視線越過他，望著手電筒晃來晃去的白色光束。喬許在幾排墓碑之外，仍然在搜尋派帝，幾乎要走到馬路邊上了。

「派帝！」我低聲說，恐懼哽住了我的喉嚨，我的胃因爲恐懼而縮緊起來。

「狗兒總是能辨認出活死人，這就是爲什麼牠們必須先走。牠們總是知道。」

「你是說……派帝……死了？」我艱難的說出這幾個字。

雷點了點頭，「他們會先把狗殺掉。」

「不！」我尖叫起來，又往後退了一步，撞上一塊低矮的大理石墓碑，幾乎失去了平衡，我趕忙跳開。

「妳不應該看見這些的！」雷說，他窄窄的臉上毫無表情，除了深幽的眼睛裡流露出眞實的悲哀。「妳不應該知道的，至少要等到幾個星期之後……我是看守人，我應該要看著你們，確定你們不會發現，直到時候到了。」

他向我走近一步，眼睛閃閃的亮起紅光，直燒進我的眼中。

「是你從窗口看我的嗎？」我喊道：「是你在我房間裡？」

他又點點頭，「我曾經住過你們的房子，」他說著又上前一步，逼得我靠在冰冷的大理石上。「我是你們的看守人。」

我強迫自己移開目光，不再盯著他閃閃發光的眼睛。我想要對喬許大叫，叫他快跑，去找人幫忙。但是他離得太遠了，而我也只能僵在那兒，因爲恐懼而動彈不得。

「我們需要新鮮的血。」雷說。

「什麼？」我喊道：「你說什麼？」

「這個小鎮……如果沒有新鮮的血就無法存活，沒有人能夠例外。妳很快就會了解的，亞曼達。妳會了解我們爲什麼必須邀請你們搬到那間屋子……那間……死亡之屋。」

在手電筒歪歪扭扭移動的燈光下，我看見喬許正在往我們的方向靠近。

快跑，喬許，我心想。

快跑呀！快找人來，任何人都行！

這句英文怎麼說

你說什麼？
What are you saying?

我想得出這些字句，但是爲什麼我喊不出聲？

雷的眼睛變得更亮了，現在他站在我的正前方，五官很僵硬，又冷又硬。

「雷？」即使隔著牛仔褲，大理石墓碑的涼意還是滲進了我的腿。

「我搞砸了，」他低聲說：「我是你們的看守人，但是我卻搞砸了！」

「雷——你要做什麼？」

他眼中的紅光閃爍不定，「我眞的很抱歉！」

他的身子緩緩從地面升起，飄浮在我的上方。

我覺得自己喘不過氣來。我無法呼吸，無法動彈……我張開嘴巴要叫喬許，但是卻發不出聲音。

喬許？你在哪裡？我往一排排的墓碑望去，卻看不到他手電筒的光芒。

雷又浮得更高了一些，他盤旋在我上方，不知怎的讓我噎住，讓我目眩，讓我窒息。

我要死了，我心想，死了……

現在我也要死了……

14.

突然間，一道光芒劃破了黑暗。

那道光芒照在雷的臉上，那道明亮的白色鹵素燈光。

「怎麼回事？」喬許說，聲音尖銳而緊張，「亞曼達——發生什麼事了？」

雷大叫一聲，落回地面上。「關掉那個！關掉！」他尖聲喊叫，聲音又尖又細，像是風吹過破碎的窗玻璃一般。

但是喬許還是把那道明亮的光束對著雷。「怎麼回事？你在做什麼？」

我又能呼吸了！

我朝那光束望去，掙扎著讓自己的心跳平穩下來。

雷揮舞著手臂，想要擋住那道強光，然而那道光芒已經對他造成了傷害。

這句英文怎麼說

關掉那個！
Turn that off！

雷的皮膚似乎在融化，他的整張臉孔下陷鬆垂，然後從頭骨上脫落下來。

我注視著白色的光圈，看著雷的皮膚起皺掉落，融化消失，無法移開視線。當皮膚底下的骷髏露出來時，他的眼球從眼眶中滾了出來，無聲無息的掉到了地上。

喬許因爲驚恐萬分而呆在那兒，但手裡還穩穩握著那明亮的光束。我們兩個望著那像是在獰笑的骷髏，而它幽暗的眼窩則回瞪著我們。

「啊！」雷忽然向我走近，我不禁尖叫起來。

但我立刻便了解到，雷並不是在走路，而是在往下跌倒。

當他摔落到地面時，我趕緊向一旁跳開，然後張大了嘴，看著他的頭蓋骨撞在大理石墓碑頂上，發出一聲噁心的「喀啦」聲，裂了開來。

「快走！」喬許大喊：「亞曼達——快來！」他抓起我的手，想把我拉走。

但我無法把眼光從雷的身上移開——地上只剩下一灘又皺、又爛的衣服裡的一堆骨頭。

「亞曼達，快來！」

然後，還來不及細想，我便拔腿狂奔了。我在喬許身旁拚命的跑著，沿著一長排墳墓往馬路上跑去。

當我們奔跑時，手電筒的光線從模糊一片的墓碑上掠過，腳下不時被沾著露水的柔軟青草給滑到，在靜止而燥熱的空氣中大口喘著氣。

「我們得去告訴爸媽！我們得離開這兒！」我喊道。

「他們……他們不會相信的！」喬許說，這時我們已經跑上了馬路。我們繼續跑著，球鞋重重的落在人行道上。

「我都不確定我自己相不相信呢！」

「他們一定得相信我們！」我對他說：「如果他們不相信，我們拖也要把他們拖出那間屋子。」

我們跑過黑暗寂靜的街道，只有手電筒的白色光束爲我們照著路，沒有街燈，沒有從房屋窗口透出的燈光，也沒有車燈。

我們進入了怎樣的一個黑暗世界呀！

而現在該是出來的時候了。

我們一路跑著回家，我並不時回頭看看有沒有人跟在後頭，但是我沒有看到

這句英文怎麼說

我都不確定我自己相不相信呢！
I'm not sure I believe it myself.

任何人，整個街坊都是死寂而空曠的。

當我們跑到家門口時，我的側腹一陣刺痛，但是我強迫自己繼續跑，一直跑到鋪著厚厚枯葉的碎石子車道上，然後再跑上前廊。

我推開大門，喬許和我都高聲喊叫：「爸爸！媽媽！你們在哪裡？」

一片寂靜。

我們跑進客廳，燈全是關著的。

「爸爸？媽媽？你們在家嗎？」

拜託你們在家，我心裡想。我的心臟跳得好快，腹側仍然很疼痛。拜託你們在家。

我們尋遍了整個屋子，他們不在家。

「那個派對！」喬許突然想了起來：「他們會不會還在那個派對裡呢？」

我們站在客廳裡，兩個人都氣喘吁吁的，我腹側的疼痛只消退了一點點。我把所有的燈都打開了，但是客廳裡仍然讓人感到陰氣森森。

我向壁爐架上的時鐘瞥了一眼，快要午夜兩點了。

「他們早該到家了！」我說，聲音微弱而發顫。

「他們到哪兒去了？他們有留電話號碼嗎？」喬許說著，一邊往廚房走去了。

我跟在他後面，一邊沿路把電燈打開。我們走到櫥櫃上方的留言板前，那兒一向是爸媽留字條給我們的地方。

沒有字條……留言板上空無一物。

「我們得找到他們！」喬許喊道。他聽起來十分害怕，他張得大大的眼睛顯示出他的恐懼，「我們必須離開這裡。」

萬一他們發生了什麼事呢？我正想說出口，但我及時阻止了自己。我不想在喬許這麼害怕的情況下再去驚嚇他。

而且，或許他也已經想到了。

「我們該打電話給警察嗎？」我們走回客廳，從屋前的窗戶望向外頭黑暗的夜色，他問道。

「我不知道！」我說，把我發熱的額頭貼到冰涼的玻璃上：「我不知道該怎麼辦？我只想要他們回來……我要他們回家，然後我們就可以一起離開！」

這句英文怎麼說

我們該打電話給警察嗎？
Should we call the police?

「你們在急什麼？」一個女孩的聲音從我背後傳來。

喬許和我都叫出聲來，轉身向後。

凱倫．桑莫塞特站在屋子的正中央，雙臂環抱在胸前。

「但是……妳已經死了！」我迸出這句話。

她笑了。那是一個悲哀的微笑，一個苦澀的微笑。

接著又有兩個孩子從玄關裡走出來，其中一個把電燈關掉，「這兒太亮了！」他說。他們走到凱倫身邊。

又有一個死去的孩子，傑瑞．富蘭克林在壁爐旁邊出現，然後我又看見那個留著黑色短髮的女孩——那個我曾經在樓梯上見過的女孩——沿著窗簾從我身邊走過。

他們都在微笑，眼睛在黯淡的光線下幽幽的發著光，並且朝著喬許和我逼近。

「你們要做什麼？」我用一種自己都認不得的聲音尖叫著說：「你們想要做什麼？」

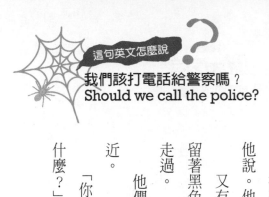

「我們曾經住在妳家。」凱倫輕聲說。

「什麼?」我喊道。

「我們曾經住在妳家。」喬治也說。

「而現在，妳猜怎麼著?」傑瑞又說：「我們全死在妳家!」

其他的孩子開始大笑，發出乾澀、如裂帛般的笑聲，同時一步步向喬許和我逼近過來。

這句英文怎麼說？

但是我們無路可逃。
But there was nowhere to run.

15.

「他們要殺了我們！」喬許喊道。

他們靜靜的向我們逼近，喬許和我退到了窗邊，我環顧黑暗的屋子，想要找到一條逃生的路徑。

但是我們無路可逃。

「凱倫——妳看起來這麼好……」我說。這些話自動從我口中冒了出來，不假思索的脫口而出。

她的眼睛變得更亮了一些，「我是很好，」她用一種毫無抑揚頓挫的陰沉聲調說：「在我沒搬到這兒之前。」

「我們以前都很好，」喬治・卡本特用同樣低沉單調的聲音說：「但是現在

我們都死了。」

「放我們走！」喬許叫道，把手舉在身前，像是要防衛自己，「拜託——讓我們走！」

他們又大笑起來，那是一種乾澀、粗嘎的笑聲……死人的笑聲。

「不用害怕，亞曼達。」凱倫說：「妳很快就會跟我們在一起了！這就是為什麼他們要邀請你們來到這間屋子。」

「什麼？我不明白！」我喊道。我的聲音在顫抖。

「這裡是死亡之屋，每個剛來到達克弗斯的人居住的地方……當他們還活著的時候。」

其他的孩子似乎覺得這句話很好笑，紛紛竊笑了起來。

「但是我們的叔祖……」喬許開口。

凱倫搖搖頭，她的眼睛因為覺得有趣而發著光，「不，抱歉，喬許……沒有什麼叔祖，那只是騙你們到這兒來的把戲！每年都必須有新的人家搬到這裡，以前是我們。我們都曾住在這間房子——直到我們死去，現在輪到你們了！」

這句英文怎麼說

不用害怕。
Don't be scared.

「我們需要新鮮的血，」傑瑞．富蘭克林說。他的眼睛在幽暗的光線下發著紅光。「每年一次，你明白嗎，我們需要新鮮的血。」

他們靜靜的向我們逼近，盤旋在喬許和我的上方。

然後我聽見了敲門聲。響亮的敲門聲，叩叩叩的敲了好幾次。

我張開眼睛，那些鬼魅般的孩子全都消失了。

空氣中有一股酸腐的氣味。

喬許和我面面相覷，心中一片茫然，然後敲門聲又再響起。

「是爸爸、媽媽！」喬許喊道。

我們一起奔向門口，喬許在黑暗中被茶几絆倒，所以我先跑到了門邊。

「爸！媽！」我喊道，把門拉開：「你們上哪兒去了？」

我伸出雙臂想要擁抱他們——然而卻在半空中停住了。我的嘴巴張得大大的，發出一聲無聲的呼喊。

「道斯先生！」喬許喊道，走到我身邊說：「我們還以為——」

「噢，道斯先生，眞高興見到你！」我開心的呼喊，推開紗門讓他進來。

「孩子們——你們還好吧？」

他看著我們兩個，英俊的面孔因爲擔憂而緊繃著，「噢，感謝上帝！」他喊道：「我及時趕到了！」

「道斯先生——」我開口道，我感覺如此寬心，眼睛裡甚至還滾著淚珠：「我……」

他捉住我的手臂說：「沒時間說話了！」我朝他身後的馬路上看去，只見他的車子停在車道上，引擎還沒熄火，只有停車燈亮著。「趁著還有時間，我要趕快帶你們離開這兒。」

喬許和我立即跟著他走，然後卻又遲疑起來。

萬一道斯先生跟他們是一夥的呢？

「快點！」道斯先生催促著，他把紗門推開，緊張的注視著黑暗的夜色。「我想我們處於極大的危險中。」

「但是……」我開口，凝視著他驚恐的雙眼，不知道是否該信賴他。

「我剛才跟你們父母一起在派對裡，」道斯先生說：「突然之間，他們圍成

這句英文怎麼說

我及時趕到了！
I got here in time!

了一個圓圈，所有的人……圍著你爸媽跟我，然後他們……他們開始朝我們逼近過來……」

就像那些孩子向我們逼近一樣，我心想。

「我們衝出圈子沒命的跑，」道斯先生說，往他身後的車道望了一眼，「我們三個設法逃了出去。快點！我們得趕快離開這兒——快點！」

「喬許，我們走！」我催促道，然後轉身問道斯先生：「我爸和我媽呢？」

「快來，我會帶你們去找他們的！他們現在很安全，但是不知道能躲多久。」

我們跟著他走出屋子，沿著車道走向他的車子。雲層分開了，一彎銀月低低垂掛在清晨灰白的天空中。

「這座城鎮很不對勁！」道斯先生說，爲我拉開前座的車門，而喬許則爬進後座去。

我感激的坐倒在前座上，他把車門碰的一聲關上。「我知道，」當他爬進駕駛座時，我說：「喬許和我，我們兩個都……」

「我們得趕緊離開，走得越遠越好，免得被他們追上來了。」道斯先生說著快速的倒著車，當車子往街上駛去時，輪胎在地面上發出尖銳的磨擦聲。

「是的！」我同意，「謝天謝地，還好你來了！我們家裡——擠滿了一堆孩子……死去的孩子，還有……」

「這麼說你們見過他們了？」道斯先生輕聲說，他的眼睛因爲恐懼而張得大大的；他更加用力的踩著油門。

我望著黑暗中微微透出紫色的天空，一輪低垂的橘紅色太陽緩緩的在綠色的樹梢出現。「我們的爸媽在哪兒？」我焦急的問。

「在墳場邊上有個像是露天劇場的地方，」道斯先生說，他透過擋風玻璃直視著前方，他的眼睛微微瞇起，表情十分緊繃。「它是直接建造在地下的，而且被一棵大樹擋住，我把他們留在那兒，叫他們不要走動。我想他們會很安全的，不會有任何人會想到要到那兒找他們的。」

「我們見過那個地方。」喬許說，後座突然亮起一束明亮的光芒。

「那是什麼？」道斯先生問，從照後鏡裡望後看。

「我的手電筒。」喬許回答，把手電筒關掉。「我帶著它以防萬一。但是太陽很快就要出來了，我也許用不著它了。」

道斯先生踩了煞車，把車停靠在路邊，我們來到墳場了。我爬出車子，急著要見爸爸、媽媽。

天色仍舊黑暗，不過天際已經呈現出紫羅蘭色的光暈了。太陽像個暗橘色的汽球，才剛從樹梢上露出一丁點。

馬路對面，在一排排歪斜的墓碑之後，我看見了那棵傾斜的老樹黑暗的輪廓，遮蔽著那個神祕的圓形劇場。

「快點！」道斯先生催促道，輕聲把車門關上。「我想你們的父母一定急著見到你們！」

我們半走半跑的往對街走去，喬許一隻手握著手電筒搖晃。

冷不防的，在墳場的草地邊上，喬許停下了腳步，「派帝！」他喊道。

我順著他的目光看去，看到了我們的白色梗犬，正緩緩的沿著一片豎立著墓碑的斜坡走著。

「派帝！」喬許又喊，隨即朝那狗兒跑去。

我的心往下一沉，我還沒機會告訴喬許，雷對我說的關於派帝的事。

「不——喬許！」我喊道。

道斯先生看起來十分緊張。「我們沒有時間了，我們必須趕緊走！」他對我說，然後開始呼喚喬許，叫他回來。

「我去帶他回來！」我說著拔腿便跑，死命的沿著一排排墳墓往前跑，叫著我的弟弟：「喬許！喬許，等等！不要，不要去追派帝！喬許——派帝已經死了！」

喬許就要趕上派帝了……那狗兒緩步走著，聞著地面，沒有抬頭，也沒有對喬許稍加注意。

接著，猝然間，喬許被一塊低矮的墓碑給絆倒了。

他跌倒的時候叫了一聲，手電筒從手中飛了出去，噹啷一聲，摔在一塊墓碑上。

我快步趕上他。

「喬許——你沒事吧？」

這句英文怎麼說

我們沒有時間了。
We don't have time.

他俯臥著，眼睛直直瞪著前方。

「喬許——回答我！你還好吧？」

我抓著他的肩膀，想把他拉起來，但他還是直直盯著前方，嘴巴張開，眼睛瞪得大大的。

「喬許？」

「妳看！」他終於開口了。

我鬆了一口氣，知道喬許並沒有撞暈或是怎麼的。

「妳看！」他又說一次，指著絆倒他的那塊墓碑。

我轉過身來，瞇著眼睛看著那塊墓碑。我讀著碑文，無聲的唸出上頭刻的字。

康普頓．道斯　願靈魂安息　一九五〇——一九八〇

我感到一陣天旋地轉，我覺得頭好暈……我抓住喬許，勉強穩住自己。

康普頓．道斯

那不是他的父親或祖父……他對我們說過，他是家族裡唯一的康普頓。

所以道斯先生也死了。

死了……死了……死了……像其他每個人一樣死了！

他是他們其中一個，死人裡頭的一個。

喬許和我在透著紫光的黑暗中面面相覷，我們被包圍了，被死人包圍了！

現在該怎麼辦？我問我自己。

該怎麼辦？

16.

這句英文怎麼說

現在該怎麼辦？
Now what?

「起來，喬許！」我扯緊喉嚨低聲說：「我們得趕緊離開這裡！」

但是已經太晚了。

一隻手緊攫住我的肩膀。

我回過身來，看見道斯先生，他瞇起眼睛，讀著他自己墓碑上的碑文。

「道斯先生——你也……」我喊。我感到好沮喪，好困惑，又好害怕。

「我也是……」他幾乎是悲傷的說：「我們全都是。」他的雙眼燃燒著，一直燒進我的眼睛：「這裡原本是個再平凡不過的小鎮，而我們全是平凡的人，大都數就在郊區的塑膠工廠工作。然後發生了一次意外，有些東西從工廠裡跑出來……一種黃色的氣體，飄到了小鎮上空。它來得如此之快，我們完全沒瞧見

也不明就裡。然後，一切都太遲了，達克弗斯不再是一個普通的小鎮，我們全死了，亞曼達。死了，被埋起來了。但是我們無法休息，無法安睡，達克弗斯變成了一個活死人鎮。」

「你們……你們要把我們怎麼樣？」我勉強問出聲。我的膝蓋抖得好厲害，幾乎沒法站立。一個死人正捏著我的肩膀……一個死人正盯著我的眼睛。

跟他距離這麼近，他的身上飄散出酸腐的氣息。我把頭轉開，但是那個氣味已經嗆到我了。

「我們的爸媽在哪裡？」喬許問。他爬起身來，僵硬的站在我們旁邊，怒目注視著道斯先生。

「安然無恙。」道斯先生帶著一抹隱約的微笑說：「跟我來吧！是跟你們父母見面的時候了！」

我想要掙脫他的掌握，但是他的手掌緊緊鎖著我的肩膀。「放開我！」我喊道。

他的嘴巴笑得更開了些。「亞曼達，死亡並不痛苦。」他輕聲的、幾乎是安

這句英文怎麼說

安然無恙。
Safe and sound.

慰地說：「跟我來。」

「不！」喬許喊道，忽然快速撲到地上，抓起手電筒。

「是了！」我喊：「對著他照，喬許！」這手電筒能解救我們，這光束能擊敗道斯先生，就像它擊敗雷一樣，這光束能毀滅他。「快點——對著他照！」我催促道。

喬許撥弄著手電筒，將它指著道斯先生驚愕的臉孔，接著按下開關。

毫無動靜。

沒有光。

「手電筒——壞掉了！」喬許說：「應該是掉在墓碑上時摔壞的……」

我的心臟怦怦跳著，我回頭看著道斯先生。他的臉上掛著勝利的微笑。

17.

「不賴嘛！」道斯先生對喬許說，但他的微笑很快就從臉上消失了。近距離看，他並沒有我想像的那麼年輕英俊。他的皮膚乾澀脫皮，又鬆又垮。

「我們走吧，孩子們！」他說著推了我一把，抬頭向著越來越亮的天空瞥了一眼，太陽正從樹梢緩緩升起。

喬許遲疑著。

「我說快走！」道斯先生不耐的叱喝著，他鬆開抓著我肩膀的手，威脅似的跨步走向喬許。

喬許朝那個不管用的手電筒看了一眼，接著舉起手臂，把手電筒重重的往道斯先生頭上砸去。

這句英文怎麼說

不賴嘛！
Nice try.

那手電筒正中目標，發出一聲噁心的「喀啦」聲。它擊中道斯先生額頭的正中央，把他的皮膚砸開了一個大洞。

道斯先生發出一聲低吼，眼睛因爲驚訝而張得斗大。頭暈腦脹的他，伸出一隻手按著那個大洞，洞裡露出幾吋寬的灰色頭蓋骨。

「快跑，喬許！」我喊道。

但是並不需要我的提醒，他已經在一排排墓碑之間東奔西竄，把頭壓得低低的。我跟在他後面，拚命狂奔。

我往後一瞥，只見道斯先生搖搖晃晃的追趕著我們，一隻手仍然按著裂開的額頭。他追了幾步，卻又猛然停了下來，抬頭望向天空。

陽光對他來說太亮了，我知道。他必須躲在陰影裡。

喬許跑到一座高高的大理石紀念碑後面，那座石碑很老舊，微微傾斜著，中間有道裂縫。

喬許迅速彎下身來，我也在他身旁弓身躲著，大口大口的喘著氣。

我們兩個靠在冰冷的大理石上，從石碑後面探頭往外看。道斯先生滿臉陰沉，正往露天劇場的方向走回去，始終不敢離開樹蔭底下。

「他……他不再追我們了！」喬許耳語說，他的胸膛劇烈的起伏著，一面費力的喘氣，一面又竭力壓抑住他的恐懼：「他往回走了。」

「陽光對他而言太亮了，」我說，緊緊抓著石碑的邊緣：「他一定是去找爸爸媽媽了！」

「那個笨手電筒！」他喊道。

「別管它了。」我說。我看著道斯先生，直到他消失在那棵傾斜的大樹後面。

「現在我們該怎麼辦呢？我不知道……」

「噓——妳看！」喬許使勁戳我的肩膀，指著前面說：「那些是什麼人？」

我順著他的眼光看過去，看到幾個黑暗的人影，從一排排墓碑之間快步走過，他們似乎是從空氣中蹦出來的。

他們是從墳墓裡爬起來的嗎？

他們快步走著，彷彿飄浮般的滑過覆著綠草的斜坡，往陰影裡頭移動。所有的人都靜靜的走著，兩眼直視，並沒有停下來互相招呼。他們專心一意的走向那

這句英文怎麼說

那是凱倫。
There goes Karen.

隱藏在大樹底下的圓形劇場，彷彿他們是被拉向那兒似的，就好像他們是一群木偶，被看不見的絲線牽引著。

「嘩！妳瞧他們！」喬許低聲說，隨即又把頭伏低到大理石碑後面。

那些黑暗、移動的形體，使得所有的陰影都彷彿漣漪一般微微晃動著，所有的樹、墓碑，還有整個墓園都好像有了生命，一步步朝著那個圓形劇場裡隱藏著的座位移動過去。

「那是凱倫。」我耳語道，指著那些人影：「還有喬治，還有其他所有的人。」

剛才在我們家裡的那些孩子隨著其他的人影，三三兩兩的快速移動著，就像其他人一樣安靜而井然有序。

每個人都在這兒了，除了雷以外，我心想。

因爲雷被我們殺死了。我們殺了一個已經死去的人。

「妳想爸媽眞的會在那個古怪的劇場裡嗎？」喬許問，打斷了我病態的念頭。他仍然緊盯著那些移動的人影。

「來吧！」我說著抓起喬許的手，拉著他離開石碑：「我們得去看看才知道。」

我們看著最後一個黑暗的人影飄過那棵傾斜的大樹。

陰影停止晃動了，整個墳場靜止而又寂靜。一隻孤獨的烏鴉在晴朗無雲的藍色天空中高高的飛翔著。

慢慢的，喬許和我側著身體往圓形劇場的方向移動，我們伏低在墓碑後面，儘可能的貼近地面。

我們移動得很費力。我覺得自己好像有五百磅重。那是恐懼的重量，我想。

我急著想看看爸媽是不是在那兒。

但是同時，我也不想看。

我不想看到他們被道斯先生和其他人囚禁起來。

我不想看到他們……被殺死。

這個念頭讓我停下腳步，我伸出一隻手，拉住喬許。

我們站在那棵傾斜的大樹後面，藏身在老樹巨大隆起的樹根之後。在樹的另一邊，從地底下的劇場中，我隱約聽見低低的說話聲。

「爸爸媽媽在裡頭嗎？」喬許低聲說。他把頭從傾斜的樹幹邊探出去，但是

這句英文怎麼說

我突然福至心靈。
It just came to me.

我小心的把他拉了回來。

「小心點！」我低聲說：「別讓他們看見我們，他們就在我們下面。」

「但是我得知道爸媽是不是真的在這裡！」他的眼中透出恐懼，懇求似的說。

「我也是！」我同意。

我們往那巨大的樹幹靠過去，我手底下的樹皮摸起來很光滑。我凝視著大樹投射出的那片陰影。

我看見他們了。爸爸和媽媽，他們被綁了起來，背對背站在劇場底下地板的中央，面對著每一個人。他們看起來是如此不安，如此害怕。

他們的雙手被緊緊的綁在身體兩側，爸爸的臉紅通通的，媽媽的頭低垂著，頭髮亂七八糟，散亂的披在額頭上。

我瞇著眼睛往大樹的陰影裡頭瞧去，只見道斯先生和另一個年紀比較大的男人站在他們旁邊，建造在地下的一排排長凳上坐滿了人，沒有一個位置是空著的。

鎮上的每一個人一定都在這兒了，我知道。

每一個人，除了喬許和我。

「他們會殺了爸爸媽媽，」喬許低聲說，他因爲恐懼而緊捏著我，「他們會把爸媽變成像他們一樣。」

「然後他們就會來找我們。」我說出心裡的想法，穿過陰影注視著我可憐的爸媽。現在他們兩個人的頭都垂下來了，站在靜默的群衆面前，兩個人都在等待他們的命運。

「我們該怎麼辦？」喬許低聲說。

「什麼？」我全心全意的注視著爸爸媽媽，以至於一時失了神。

「我們該怎麼辦？」喬許急急的重複問道，仍然緊抓著我的手臂。「我們不能光是站在這兒，看著他們——」

剎那間我知道我們該怎麼做了。

我突然福至心靈，甚至沒有費力思索。

「也許我們能救他們！」我低聲說，身體從樹幹上移開。「也許我們眞能把他們救出來！」

這句英文怎麼說

我知道我們會成功的。
I knew we could do it.

喬許放開我的手臂，急切的注視著我。

「我們要推倒這棵大樹，」我低聲說。我是如此信心滿滿，連自己都感到驚訝，「我們要推倒這棵大樹，讓陽光照進這個劇場。」

「是呀！」喬許立刻喊了出來：「瞧瞧這棵樹，它幾乎就快倒了，我們一定會成功的！」

我知道我們會成功的。我不知道我的信心是打哪兒來的，但是我知道我們能夠做到。而且我知道我們必須趕快行動。

我再一次從樹幹頂上往下看，努力透過陰影查看下面的動靜。

我可以看見劇場裡的每一個人都站了起來，所有的人都開始往前移動，朝著爸爸媽媽逼近。

「快點，喬許！」我低聲說：「我們先助跑，然後起跳，用力把樹推倒。來吧！」

沒有再多說一句話，我們兩個人都往後退了幾步。

我們只需朝樹幹用力的推上一把，這棵大樹就會馬上倒下來。畢竟，它的根部幾乎完全暴露在地面上了。

用力推上一把，這就成了。然後陽光就會流進劇場裡，美麗的、金色的陽光，明亮的、燦爛的陽光。

這些活死人都會被消滅。

爸爸媽媽就會得救！

我們一家四口都會得救！

「來吧，喬許！」我低聲說：「準備好了嗎？」

他點點頭。他的面孔很嚴肅，眼中透著恐懼。

「好！我們上！」我喊道。

我們兩個同時往前跑，腳下的球鞋緊抓著地面，使盡全力快跑。我們的手臂向前伸直，準備好要往前推。

在那一秒鐘，我們碰到了樹幹，使盡全力推著。我們拚命推，然後用肩膀拚命的頂，推……推……推……

但那樹動也不動。

這句英文怎麼說

用力推！繼續推！
Push! Keep pushing!

18.

「用力推！」我喊道：「再推！」

喬許發出一聲惱怒、挫敗的嘆息：「沒辦法，亞曼達。我推不動。」

「喬許——」我對他怒目而視。

他振作起來，要再試一次。

下面忽的傳來驚叫的聲音，怒吼的聲音。

「快點！」我大喊：「用力推！」

我們用肩膀猛撞樹幹，兩個人都吃力的哼出聲來。我們的肌肉緊繃，臉孔脹得通紅。

「用力推！繼續推！」

我覺得太陽穴的血管快要爆開了。

那樹動了嗎？

沒有。

它搖晃了一下，然後又彈了回去。

下面傳來的聲音越來越響了。

「我們辦不到！」我喊，覺得好失望，好洩氣，又好害怕，「我們推不動它！」

挫敗的我跌坐在樹幹上，雙手掩著臉。

就在這當兒我聽見細微的爆裂聲，我倒抽一口氣，跳了起來。那爆裂聲變得越來越響，終於變成了隆隆聲，接著變成了轟隆巨響。彷彿像是地面要被撕裂了。

那棵老樹頹然倒下。它離地不遠，倒下來沒有多少距離，但是當樹幹落地時，仍然發出了雷鳴般的巨響，震動了整個大地。

我抓著喬許，我們兩個怪異的站著，無法置信的看著陽光湧進圓形劇場中。

底下立刻傳來陣陣的呼喊。驚恐的呼喊，憤怒的呼喊，狂亂的呼喊。

呼喊的聲音變成了哀號，痛苦的哀號。

這句英文怎麼說

但是已經太遲了。
But it was too late.

圓形劇場裡所有的人，那些被金色陽光捕捉到的活死人，開始彼此推擠，尖叫、拉扯、攀爬、碰撞，想要爬進陰影裡。

但是已經太遲了。

我張口結舌的看著他們的皮膚逐漸從骨頭上脫落，碎成粉末消融在地上。他們的衣服也跟著崩解碎裂。

當他們的軀體分崩離析，他們的皮膚融化消蝕，乾枯的骨頭也崩塌在地，痛苦的尖叫聲仍然不斷的響著。

我看見凱倫．桑莫塞特搖搖晃晃的走過，她的頭髮掉在地下變成一堆，露出底下黑黝黝的骷髏。她朝我望了一眼，眼光裡充滿了渴望，充滿了悔恨。接著她的眼珠便從眼眶中滾落出來，她張開沒有牙齒的嘴，喊道：「謝謝妳，亞曼達！謝謝妳！」然後便崩解在地。

喬許和我掩住耳朵，擋住那些恐怖的叫聲。我們兩個都望向別處，不忍繼續看著這整座城鎮的人在痛苦中崩塌消融，化爲灰燼，被陽光給毀滅掉——那清澈、溫暖的陽光。

當我們回過頭來，他們已經全部消失了。

爸爸媽媽還站在原處，背對背被綑綁著。他們的表情混雜著恐懼和難以置信。

「爸爸！媽媽！」我大喊。

我永遠不會忘記，當喬許和我跑上前去替他們鬆綁時，他們臉上的微笑。

爸爸媽媽沒花多久時間就打包完畢，然後安排搬家公司載著我們回到原來的舊家。

「我們沒能賣掉舊房子，畢竟是件幸運的事。」當我們十萬火急的把東西堆上車子要離開時，爸爸說。

爸爸沿著車道倒車，加足油門正要呼嘯而去。

「停車！」我突然喊道。我不確定是爲什麼，但是我有種強烈的衝動，想要對這間老房子看上最後一眼。

爸爸媽媽困惑的喊著我，我卻推開車門，沿著車道跑了回去。我站在庭院中

這句英文怎麼說

我不確定是為什麼。
I'm not sure why.

央，注視著這間屋子，這間寂靜的、空蕩蕩的，仍舊被層層厚重的藍灰色陰影覆蓋著的老屋。

我發現自己像是被催眠了似的凝視著那棟老屋。我不知道我在那兒站了多久。

碎石子車道上傳來輪胎的吱嘎聲，冷不防的把我從魔咒中驚醒過來。我吃了一驚，轉身看見一輛紅色的旅行車停在車道上。

兩個跟喬許差不多年紀的男孩從後座跳了下來，他們的父母跟在後面。他們注視著那間屋子，似乎沒有注意到我。

「我們到了，孩子們。」他們的媽媽說，對他們微笑道：「我們的新房子！」

「這房子看起來一點也不新，它看起來好舊喔！」其中一個男孩說。

然後他的兄弟注意到我，眼睛張得大大地問道：「妳是誰？」

他家人也轉過身來，注視著我。

「噢，我……嗯……」他的問題讓我吃了一驚，這時在馬路上傳來爸爸不耐煩的按著喇叭的催促聲。「我……嗯……曾經住過你們的房子……」我聽見自己這麼回答。

接著我便轉過身去，用最快的速度跑到馬路上。

那個站在門廊上，手裡拿著記事板的，可不是道斯先生嗎？當我跑向車子時，瞥見一個黑暗的人影，我心裡納悶著。

不，那個等候他們的人不可能是道斯先生！我告訴自己。

那是不可能的。

我沒有回頭看。我把車門碰的一聲關上，然後我們便飛馳而去。

它簡直像幢大廈。
It's looked like a mansion.

你們都還好吧？
Everything okay?

我真的很想回家。
I really want to go home.

我們進去吧！
Let's go inside.

但是這次例外。
But not this time.

他有時候真的很頑固。
He can be so stubborn sometimes.

我馬上就下來。
I'll be down in a second.

我是見鬼了嗎？
Was I seeing things?

他不在這兒。
No sign of him.

我們得找到他。
We've got to find him.

我來這兒也沒有多久。
I'm new here, too.

他在追派帝。
He was chasing after Petey.

這到底是怎麼回事？
What's the matter?

爸爸打開了冷氣。
Dad had turned on the air conditioner.

- 這真的發生了。
  It was really happening.
- 我們會常常見面的。
  We'll see each other a lot.
- 別拿我開玩笑！
  Don't make fun of me.
- 某樣東西吸引了我的視線。
  Something caught my eye.
- 我又怎麼了？
  What did I do?
- 那不是腳步聲。
  Not footsteps.
- 有人在裡頭嗎？
  Who's in there?
- 你真的嚇到我了！
  You really scared me.
- 是誰在裡面？
  Who's there?
- 他活該。
  He deserved it.
- 不許再嚇來嚇去。
  No more scaring each other.
- 真是忙碌的一天呀！
  What a day!
- 我又聽到更多低語聲。
  I heard more whispers.
- 我想去應門。
  I wanted to go answer the door.

亞曼達最會搞怪了！
Amanda is a pain!

今天我們要做什麼？
What are we doing today?

不管你相不相信。
Believe it or not.

我很忙耶！
I'm kind of busy.

我得離開這兒。
I've got to get out of here.

這地方讓我發毛。
This place gives me the creeps.

要不然還能是什麼呢？
What else could it be?

喬許做了個鬼臉。
Josh made a face.

你現在住在哪兒？
Where do you live now?

讓我們做些什麼吧！
Let's do something.

事情進行得怎麼樣？
How's it going?

沒有人說半句話。
No one said a word.

我們正要到操場去。
We're heading to the playground.

他人不錯。
He's a nice guy.

很高興認識你。
Nice meeting you.

幾天過去了。
Several days went by.

我們迷路了！
We're lost.

我們在找派帝。
We've been looking for Petey.

別擔心，牠會回來的。
Don't worry. He'll show up.

我要去把牠帶回來！
I'm going to get him!

你到底要不要來？
You coming or not?

好黑喲。
It's so dark.

那你呢？
What about you?

這是個很糟糕的主意。
This is a bad idea.

到底是什麼呀！
What on earth!

真奇怪！
How weird!

噁！臭死了！
Yuck! What a stink!

你看！這墓碑上的名字！
Look! The name on the gravestone.

我覺得渾身麻木。
I felt numb.

你真的死了嗎？
Are you really dead?

你說什麼？
What are you saying?

關掉那個！
Turn that off!

我都不確定我自己相不相信呢！
I'm not sure I believe it myself.

我們該打電話給警察嗎？
Should we call the police?

但是我們無路可逃。
But there was nowhere to run.

不用害怕。
Don't be scared.

我及時趕到了！
I got here in time!

我們的爸媽在哪兒？
Where are our parents?

我們沒有時間了。
We don't have time.

現在該怎麼辦？
Now what?

安然無恙。
Safe and sound.

不賴嘛！
Nice try.

那是凱倫。

There goes Karen.

我突然福至心靈。

It just came to me.

我知道我們會成功的。

I knew we could do it.

用力推！繼續推！

Push! Keep pushing!

但是已經太遲了。

But it was too late.

我不確定是為什麼。

I'm not sure why.

雞皮疙瘩系列 01

我的新家是鬼屋

原著書名—— Welcome to Dead House
原出版社—— Scholastic Inc.
作　　者—— R.L. 史坦恩（R.L.STINE）
譯　　者—— 孫梅君
責任編輯—— 劉枚瑛、何若文

國家圖書館出版品預行編目 (CIP) 資料

我的新家是鬼屋 / R. L. 史坦恩 (R. L. Stine) 著 ; 孫梅君譯 .
-- 2 版 . -- 臺北市 : 商周出版 : 家庭傳媒城邦分公司發行 ,
民 104.07 176 面 ; 14.8 x 21 公分 . -- (雞皮疙瘩系列 ; 1)
譯自 : Welcome to dead house
ISBN 978-986-272-777-5(平裝)
874.59　　104004335

版　　權—— 翁靜如、吳亭儀
行銷業務—— 林彥伶、石一志
總 編 輯—— 何宜珍
總 經 理—— 彭之琬
發 行 人—— 何飛鵬
法律顧問—— 台英國際商務法律事務所 羅明通律師
出　　版—— 商周出版
臺北市中山區民生東路二段 141 號 9 樓
電話：(02) 2500-7008 傳真：(02) 2500-7759
E-mail：bwp.service @ cite.com.tw
發　　行—— 英屬蓋曼群島商家庭傳媒股份有限公司城邦分公司
臺北市中山區民生東路二段 141 號 2 樓
讀者服務專線：0800-020-299 24 小時傳真服務：(02)2517-0999
讀者服務信箱 E-mail：cs @ cite.com.tw
劃撥帳號—— 19833503 戶名：英屬蓋曼群島商家庭傳媒股份有限公司城邦分公司
訂購服務—— 書虫股份有限公司客服專線：(02)2500-7718；2500-7719
服務時間：週一至週五上午 09:30-12:00；下午 13:30-17:00
24 小時傳真專線：(02)2500-1990；2500-1991
劃撥帳號：19863813 戶名：書虫股份有限公司
E-mail：service@readingclub.com.tw
香港發行所—— 城邦（香港）出版集團有限公司
香港 灣仔 駱克道 193 號超商業中心 1 樓
電話：(852) 2508-6231 傳真：(852) 2578-9337
馬新發行所—— 城邦（馬新）出版集團
Cité (M) Sdn. Bhd. 41, Jalan Radin Anum,
Bandar Baru Sri Petaling, 57000 Kuala Lumpur, Malaysia.
電話：(603)9057-8822 傳真：(603)9057-6622
商周出版部落格—— http://bwp25007008.pixnet.net/blog
政院新聞局北市業字第 913 號

美術設計—— 王秀惠
印　　刷—— 卡樂彩色製版有限公司
總 經 銷—— 高見文化行銷股份有限公司 客服專線：0800-055-365
電話：(02)2668-9005 傳真：(02)2668-9790

■ 2003 年（民 92）02 月初版
■ 2021 年（民 110）02 月 04 日 2 版 4 刷
■ 定價 / 199 元

ISBN 978-986-272-777-5

Printed in Taiwan
城邦讀書花園
www.cite.com.tw

Goosebumps®

Goosebumps®